JN115893

〔理〕〔系〕のための 中国語 入門

中国地区高専中国語
中国教育研究会

好文出版

もくじ

CONTENTS

LESSON 1 　四声とピンイン・単母音と複母音

【1】四声 02 🎵

　中国語には高低のイントネーションのパターンがあり、それを「声調」（せいちょう）と言います。中国語の声調は四つ（第1声～第4声）あるので、「四声」（しせい）とも言います。同じ一つの音節でも、声調が変わると意味も異なります。四声の他にも、もとの声調を軽く短く発音する「軽声」（けいせい）があります。「ma」という音を例に、発音の練習とともに、意味の相違も見てみましょう。

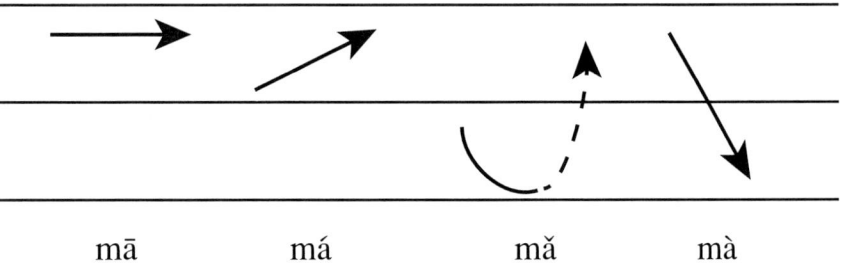

mā　　　　　　má　　　　　　mǎ　　　　　　mà

第1声：音を高くまっすぐ平らにのばして発音
第2声：低いところから音を一気に高く上げて発音
第3声：のどの奥を使い、出だしを低く抑えながら発音
第4声：高いところから音を一気に落とすように発音
軽　声：前の音の後ろにつけて、軽く短く発音。（声調符号はつかない。）

mā（妈）　　　má（麻）　　　mǎ（马）　　　mà（骂）　　　ma（吗）
お母さん　　　しびれる　　　　馬　　　　　　叱る　　　　　疑問の終助詞

　つまり同じ「ma」という音でも、第1声で発音すれば「お母さん」という意味に、第3声で発音すれば「馬」という意味になるのです。

つづり方 **1**　"mā" "má" の "a" の上の記号が声調を表す記号（声調記号）で、主要な母音の上に書きます。なお、軽声には、声調記号は付けません。

つづり方 **2**　声調記号は、母音の上につけますが、母音が複数ある場合（複母音：4．複母音参照）は、a＞o＞e＞iの順に優先します。但し、"ui" "iu" の場合は後ろにつけます。また、"i" には、上の点をとってからつけます。

【2】ピンイン（拼音）　03 🔊

　中国語の漢字の読み（発音）を表すものとして、ローマ字による表記法の「ピンイン」"拼音" を用います。日本語の「ふりがな」に当たるもので、上で見た "mā、má" などがピンインです。中国語が話せるようになるために、まずはこのピンインを理解することから始めましょう。

　（例）　月　　茶　　日本　　中国　　你　好
　　　　yuè　chá　Rìběn　Zhōngguó　nǐ hǎo　こんにちは

【3】単母音　04 🔊

　中国語の単母音は全部で七つあります。日本語の母音は「あ・い・う・え・お」の五つですが、これと少しは異なるもののたいへん近いもの、日本語にはないものがあります。

a　　　　：日本語の「ア」より口を大きく開けて発音する

o　　　　：日本語の「オ」よりも口を丸くして発音する

e　　　　：口をやや左右に開き、咽の奥から「オ」を発音する

i (yi)　：日本語の「イ」よりも口を左右に引いてはっきり発音する

u (wu)：日本語の「ウ」よりも唇を丸く突き出して発音する

ü (yu)：唇を丸くすぼめて日本語「イ」を発音する。

er　　　：舌先を巻き上げながら "e" を発音する

※ そり舌母音（捲舌母音）→第3課【2】アル化

✎ 練習1　発音してみよう。　05 🔊

①ā　á　ǎ　à　　②ō　ó　ǒ　ò
③ē　é　ě　è　　④ī　í　ǐ　ì
⑤ū　ú　ǔ　ù　　⑥ǖ　ǘ　ǚ　ǜ
⑦ēr　ér　ěr　èr

① ā (　) á (　) ǎ (　) à (　)　② ō (　) ó (　) ǒ (　) ò (　)

③ ē (　) é (　) ě (　) è (　)　④ ī (　) í (　) ǐ (　) ì (　)

⑤ ū (　) ú (　) ǔ (　) ù (　)　⑥ ǖ (　) ǘ (　) ǚ (　) ǜ (　)

⑦ ēr (　) ér (　) ěr (　) èr (　)

【4】複母音 07

　母音が二つ以上組み合わさったものを「複母音」と言います。複母音には、母音が二つ重なったものと、三つ重なったもの（三重母音）があります。

ai	ei	ao	ou	
ia(ya)	ie(ye)	ua (wa)	uo (wo)	üe (yue)
iao(yao)	iou(you)	uai (wai)	uei (wei)	

＊（　）内は、前に子音がつかない単独の場合の表記。

つづり方 3　"iou" の前に子音がつく場合、"o" を省略して "-iu" と表記する。
　　　　　"uei" の前に子音がつく場合、"e" を省略して "-ui" と表記する。
　　　　　"ü" の前に子音の "j・q・x・y" がつく場合は、"ju・qu・xu・yu" と、"ü" の上の二つの点を省略して表記する。
　　　　　実際の発音は本来のままの "jü・qü・xü・yü" です。

練習3　発音してみよう。 08

① āi　ái　ǎi　ài　　② ēi　éi　ěi　èi

③ āo　áo　ǎo　ào　　④ ōu　óu　ǒu　òu

⑤ yā　yá　yǎ　yà　　⑥ yē　yé　yě　yè

⑦ wā　wá　wǎ　wà　　⑧ wō　wó　wǒ　wò

⑨ yāo　yáo　yǎo　yào　　⑩ yōu　yóu　yǒu　yòu

⑪ wāi　wái　wǎi　wài　　⑫ wēi　wéi　wěi　wèi

⑬ yuē　yué　yuě　yuè

   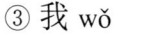

① 爱 ài 　　　② 饿 è 　　　③ 我 wǒ 　　　④ 鱼 yú

①愛 ②飢える ③私 ④魚

コラム　　発音のコツ（1）

　四声は意外に難しいものです。自分では第3声で発音したつもりなのに第2声にしか聞こえないというのは、初心者によくある話しです。そこで声調のイメージをつかむコツを紹介しましょう。

> 第1声　「サーッと風が吹く」の「サー」が第1声
> 第2声　相手の声がよく聞こえず、「エエッ？」と聞き直すのが第2声
> 第3声　知らなかったことを聞いて「ヘーエ」と感心するのが第3声
> 第4声　カラスが「カー」と鳴くのが第4声

　こんな感じで発音すると、正しい声調に近づくことができるかもしれません。
　本文でも言いましたが、四声が異なれば意味も異なります。
　"Wǒ wèn nǐ" と、まん中の "wen" を第4声で読めば "我问你"、つまり「私はあなたに聞く＝お尋ねします」という意味になりますが、"Wǒ wén nǐ" と第2声で読めば "我吻你"、「あなたにキスします」という意味になってしまいます。
　道行く若い女性に道を聞こうとして、間違えて "Wǒ wén nǐ" と言ったら、いきなり張り倒されること間違いありません。

LESSON 2	鼻母音・子音　無気音と有気音

【1】鼻母音 10 🔊

前回の母音の続きです。

母音のなかには鼻音を伴うものがあります。それを「鼻母音（びぼいん）」と言います。鼻母音には、母音の後ろが "-n" のものと、"-ng" のものとがあります。

"-n" は舌の先を上の歯茎に押し当てて発音します。「案内（あんない）」の「ん」。一方、"-ng" は舌先をどこにもつけずに発音します。「案外（あんがい）」の「ん」の発音です。

an	ian (yan)	uan (wan)	üan (yuan)
ang	iang (yang)	uang (wang)	
en	in (yin)	uen (wen)	ün (yun)
eng	ing (ying)	ueng (weng)	
ong	iong (yong)		

＊（　）内は、母音の前に子音がつかない単独の場合の表記。

つづり方 4 　 "uen" の前に子音がつく場合、"e" を省略して " -un" と表記します。
"üan"、"ün" の前に "j" "q" "x" がつく場合、"ü" は "u" と表記します。

·············· 発音のヒント ··············

"-n" と "-ng" の区別は日本人にはちょっと難しいのですが、しっかり練習しましょう。"-n" は口をきちんと閉じる、"-ng" は口を閉じないことを意識します。

"ian" の a は、後ろが n できちんと閉じなければならないので、口を大きく開けられず、「エ」に近い音に聞こえます。対する "iang" は "-ng" なので口を閉じる必要がなく、a が正しく「ア」と発音されます

✎ 練習1　 "-n" と "-ng" の違いに注意して発音してみましょう。 11 🔊

① ān	án	ǎn	àn	② āng	áng	ǎng	àng
③ ēn	én	ěn	èn	④ ēng	éng	ěng	èng
⑤ ōng	óng	ǒng	òng	⑥ yān	yán	yǎn	yàn
⑦ yāng	yáng	yǎng	yàng	⑧ yīn	yín	yǐn	yìn
⑨ yīng	yíng	yǐng	yìng	⑩ wān	wán	wǎn	wàn
⑪ wāng	wáng	wǎng	wàng	⑫ wēn	wén	wěn	wèn
⑬ wēng	wéng	wěng	wèng	⑭ yuān	yuán	yuǎn	yuàn
⑮ yūn	yún	yǔn	yùn				

【2】子音 12 🔊

　中国語の子音は全部で21種類あります。下の表は、唇や舌等のどこの部分を使って発音するかで子音を6種類（縦軸）に分けたものです。

	無気音	有気音	鼻音	摩擦音	側音
唇音	b(o)	p(o)	m(o)	f(o)	
舌尖音	d(e)	t(e)	n(e)		l(e)
舌根音	g(e)	k(e)		h(e)	
舌面音	j(i)	q(i)		x(i)	
そり舌音	zh(i)	ch(i)		sh(i)・r(i)	
舌歯音	z(i)	c(i)		s(i)	

○唇音：b(o)、p(o)、m(o)、f(o)
　"b""p""m"は上下の唇をしっかり閉じた状態から発音します。"f"は上の歯と下唇を合わせた状態から発音します。

○舌尖音：d(e)、t(e)、n(e)、l(e)
　舌先を立て、上の歯茎の裏を軽く振れてから発音します。

○舌根音：g(e)、k(e)、h(e)
　舌の奥の方を緊張させてから、上あごとの間で音を出すつもりで発音します。

○舌面音：j(i)、q(i)、x(i)
　舌の表面全体を使って音を出すつもりで発音します。

○そり舌音：zh(i)、ch(i)、sh(i)、r(i)
　舌先を立てて、上の歯茎の少し後ろまでそらして発音します。

○舌歯音：z(i)、c(i)、s(i)
　舌先を軽く下の歯の裏に当てて発音します。

※zi、ci、siの発音→第3課【3】特別な"i"

【3】無気音と有気音

　子音の表の一番上「無気音」と「有気音」の区別は大切です。

　無気音と有気音は「b ― p」「d ― t」「g ― k」「j ― q」「zh ― ch」「z ― c」がペアになっており、音色は同じですが、息の出し方が異なります。

　無気音は吐き出す息を抑えるようにして発音します。有気音は溜めた息を一気に強く吐き出すように発音します。

✎練習2　次のピンインを読んでみよう。 **13** 〰

① bō　　pō　　② dē　　tē　　③ gē　　kē

④ jī　　qī　　⑤ zhī　　chī　　⑥ zī　　cī

✎練習3　次のピンインを読んでみよう。 **14** 〰

① bǐ	bēi	bǔ	biāo	② pǔ	píng	piāo	pō
③ dī	dǎ	dǔ	diàn	④ tiān	tǔ	téng	tā
⑤ gē	gǎng	guà	gāo	⑥ kè	káng	kǒu	kāi
⑦ hē	hú	huáng	hā	⑧ jī	jiǎo	jù	jué
⑨ qí	qù	qiǎo	què	⑩ xiǎo	xī	xù	xué
⑪ zhī	zhè	zhuī	zhǎo	⑫ chí	chōu	chàn	chǎo
⑬ shī	shā	shù	shāng	⑭ rè	róng	rì	rǔ
⑮ zé	zǎi	zāng	zū	⑯ cì	cuò	cún	cǎi
⑰ sī	sòng	sú	sǎ				

コラム　　発音のコツ（2）

　単母音のうち、"a"、"o"、"i"、"u" は日本語の「あ」「お」「い」「う」に近いのですが、日本語よりもしっかり口の形を作り、はっきり発音することが大切です。この「しっかり」「はっきり」は中国語の発音すべてに共通する心がけです。

　複母音の場合も二重、あるいは三重の母音をきちんと発音しましょう。

　"xiao" は、"i"、"a"、"o" という三つの母音が聞こえることが必要です。「シャオ」ではなく、「シアオ」という感じです。感謝のことば "谢谢（xièxie）" は「シェーシェー」ではなく、「シエシエ」です。

　声調も同じです。ちょっと恥ずかしいくらい大げさに声調をつけるのが、メリハリのある、シャープな中国語を話すコツです。

<table>
<tr><td>LESSON
3</td><td>声調の変化・アル化・特別な"i"</td></tr>
</table>

【1】声調の変化

　中国語の声調は、特定の声調と結びつくと声調が変わる場合があります。これを声調の変化（変調）と言います。注意すべき声調の変化は3種類あります。

（1）　第3声の変化

　nǐ hǎo（你好）の場合、最初の方の声調が第2声に変化します。なお、声調符号は第3声のままで表記します。

"你好" 第3声＋第3声 → 第2声＋第3声

表記：nǐ hǎo　実際の発音：ní hǎo

✎練習1　次のピンインを声調の変化に注意して読んでみよう。 **15**))

① shuǐguǒ　（水果：果物）　② shǒubiǎo　（手表：腕時計）

③ lǐxiǎng　（理想：理想）　④ xǐliǎn　（洗脸：洗顔）

（2）　"不 bù"の変化 **16**))

　"不"は本来第4声ですが、後ろに続く言葉が第4声の場合、"不"は第2声に声調が変化します。声調符号も第2声に変えます。

不 bù ＋第4声 → 不 bú ＋第4声

（例）bú kàn（不看：見ない）

bú yào（不要：必要ない）

（3）　"一 yī"の変化 **17**))

　"一"は本来第1声ですが、後ろに続く言葉が第1～3声の場合、"一"は第4声に声調が変化します。声調符号も第4声に変えます。また、後ろに続く言葉が第4声の場合、"一"は第2声に声調が変化します。声調符号も第2声に変えます。

一 yī ＋ 第1声 → 一 yì ＋ 第1声　　例）yì tiān（一天：一日）

一 yī ＋ 第2声 → 一 yì ＋ 第2声　　例）yì nián（一年：一年）

一 yī ＋ 第3声 → 一 yì ＋ 第3声　　例）yìqǐ（一起：一緒に）

一 yī ＋ 第4声 → 一 yí ＋ 第4声　　例）yíyàng（一样：同じ）

※ 年月日や序数は変化しません。

　（例）yī jiǔ yī yī nián　　一九一一年（1911年）

　　　　yī yuè yī hào　　　　一月一号（1月1日）

　　　　dì yī kè　　　　　　第一课（第一課）

【2】アル化（儿化）

　そり舌母音の "儿 er" が他の音節の後ろにつき、その語尾がそり舌になる現象を「アル化」と言います。

つづり方5　表記する場合は "e" を省略して "-r" のみ表記します。 **18**

　（例）huār（花儿）　wánr（玩儿）　xiǎoháir（小孩儿）

> 花儿：花　玩儿：遊ぶ　小孩儿：子ども

練習2　アル化に注意して発音してみよう。 **19**

　① gēr（歌儿）　　② liáotiānr（聊天儿）　　③ yìdiǎnr（一点儿）

> 歌儿：歌　聊天儿：おしゃべり　一点儿：少し

【3】特別な "i"

　単母音 "i" はもちろん「イー」ですが、s、c、z につく "i" は、違う音です。口を横に引いて「イ」と同じ口をし、口の中では「ウー」と発声します。この三つは、"i" は "i" でも特別なアイなのです。

練習3　次のピンインを読んでみよう。 **20**

　① sìshí（四十）　　② cídiǎn（词典）　　③ zǐsè（紫色）

　④ sùdù（速度）　　⑤ yètǐ（液体）　　⑥ ěrjī（耳机）

　⑦ dìtiě（地铁）　　⑧ diànchí（电池）

> 四十：40　词典：辞典　紫色：紫色　速度：速度
> 液体：液体　耳机：イヤホン　地铁：地下鉄　电池：電池

① bō（波）— shuǐ（水）— chuán（船）— yún（云）

波 — 水 — 船 — 雲

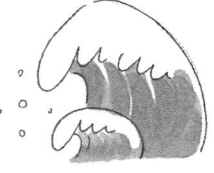   

② Běijīng（北京）— Shànghǎi（上海）— Dōngjīng（东京）— Dàbǎn（大阪）

北京 —上海 —東京 —大阪

③ chǎofàn（炒饭）— mǐzhōu（米粥）— jiǎozi（饺子）— miàntiáo（面条）

チャーハン —粥 —餃子 —ラーメン

  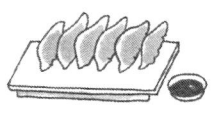 

コラム　　早口ことば　ゆっくり・はっきり・正確に　　**22**

māma qí mǎ, mǎ màn, māma mà mǎ.
妈妈 骑 马，马 慢，妈妈 骂 马。　お母さんが馬に乗る、馬はおそい、お母さんが馬を叱る。

sì shì sì, shí shì shí, sì bú shì shí, shí bú shì sì.
四 是 四，十 是 十，四 不 是 十，十 不 是 四。

4は4、10は10、4は10ではなく、10は4でない。

dùzi bǎo le, tùzi pǎo le.
肚子 饱 了，兔子 跑 了。　おなかがいっぱいになった、ウサギが走った。

sījī zìjǐ chī shíqī zhī jī.
司机 自己 吃 十七 只 鸡。　運転手は自分で17羽のニワトリを食べる。

LESSON
1

你有几个？ Nǐ yǒu jǐ ge ?

【1】数字を覚えよう

中国語学習の第一歩として、数字を覚えましょう。

yī	èr	sān	sì	wǔ	liù	qī	bā	jiǔ	shí
一	二	三	四	五	六	七	八	九	十

✎ 練習1　中国語で1〜10まで、声に出して数えてみよう。　**23** 〰

✎ 練習2　先生またはクラスメイトに中国語の数字を言ってもらい、その数字を聞き取ってみよう。

rule　数字の「2」は注意が必要です。序数、つまりナンバーを表す時は"èr"ですが、量詞を伴って量を表す時は"liǎng"と読みます。

第二课 dì èr kè　第二課　　両杯 liǎng bēi　二杯

次に、二ケタ以上の数字の数え方を学びましょう。

líng	shí	bǎi	qiān	wàn	yì
零	十	百	千	万	亿

11 12 13 14 15 16 17 18 19 20 ……

亿 yì 億

1〜99までの数え方は日本語と同じですが、三ケタになると、日本語と違いが出てきます。

yì bǎi　　yì bǎi líng yī　　　　　　　　　　yì bǎi yīshíyī
100　　　　101　　　　102 …… 109 110　　111

rule　100は"yì bǎi"と最初の「1」を読みます。101は"yì bǎi líng yī"と、まん中の「0」を読み、111は"yì bǎi yīshíyī"と、十の桁の「1」も読むのがルールです。以下、「千」「万」「億」と進みますが、すべて同じルールです。0が二つ以上続いても、"líng"は1回読むだけでかまいません。また例えば110のような場合、後ろのケタは読まず、"yì bǎi yī"と読む習慣があります。

✎ 練習3　中国語で90〜100まで、声に出して数えてみよう。　**24** 〰

✎ 練習4　先生またはクラスメイトに二ケタの数字を言ってもらい、その数字を聞き取ってみよう。

✎練習5　101〜111まで、声に出して数えてみよう。 **25** 🔊

✎練習6　次の数字を中国語で読んでみよう。 **26** 🔊

　　① 180　　　② 607　　　③ 882　　　④ 995

　　⑤ 1,500　　⑥ 7,010　　⑦ 13,005

　なお、2,000、20,000 は、それぞれ "liǎngqiān"、"liǎngwàn" と読みます。

✎練習7　次の数字を中国語で読んでみよう。 **27** 🔊

　　① 2,000　　② 2,300　　③ 22,000　　④ 22,222

rule　電話番号や、部屋の番号等は桁を入れず、そのままつぶ読みにします。また1 "yī" を7 "qī" と聞き間違えないよう、"yāo" と読みかえることがあるということを知っておくとよいでしょう。

　　　　1132 → "yāo yāo sān èr"

✎練習8　次の電話番号を中国語で読んでみよう。 **28** 🔊

　　① 24 – 8196　　　② 090 – 33118653

【2】"有 yǒu" の用法

　動詞 "有 yǒu" は存在や所有を表す動詞です。

　　我有哥哥。　Wǒ yǒu gēge.　私には兄がいます。

　　学校有两个食堂。　Xuéxiào yǒu liǎng ge shítáng.　学校には食堂が二つあります。

> 我 wǒ（名）私；一人称　哥哥 gēge（名）兄　学校 xuéxiào（名）学校
> 个 ge（量）個　食堂 shítáng（名）食堂

　否定文にするには "有" の前に "没 méi" をつけて、"没有 méi yǒu" という形にします。

　　我没有哥哥。　Wǒ méi yǒu gēge.　私には兄がいません。

　　学校没有食堂。　Xuéxiào méi yǒu shítáng.　学校には食堂がありません。

　疑問文を作るには、文末に "吗 ma" という終助詞を付けるだけです。

　　你有哥哥吗？　Nǐ yǒu gēge ma?　あなたはお兄さんがいますか？

　　学校有食堂吗？　Xuéxiào yǒu shítáng ma?　学校には食堂がありますか？

13

【3】"几 jǐ" と "多少 duōshao"

"几 jǐ" と "多少 duōshao" はいずれも数量を聞く疑問詞です。"几" は日本語の「いくつ」にあたる語で、回答があまり大きくない数字である場合に使います。一方、"多少" にはそういう制限は無く、もっと大きな数字、あるいは数字の大きさが予測できない場合にも使えます。

你有几个哥哥？ Nǐ yǒu jǐ ge gēge?　あなたはお兄さんが何人いますか。

学校有多少个学生？ Xuéxiào yǒu duōshao ge xuésheng?　学校には学生が何人いますか。

> 你 nǐ（名）あなた　个 ge（量）個人を数えるにも使う　学生 xuésheng（名）学生

中国語は疑問詞のある疑問文では、文末の "吗 ma" は必要ありません。

你有几个哥哥吗？ Nǐ yǒu jǐ ge gēge ma?　✕

学校有多少个学生吗？ Xuéxiào yǒu duōshao ge xuésheng ma?　✕

会話練習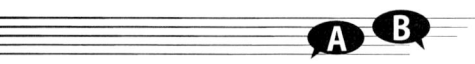

A：你 有 几 个？
　　Nǐ yǒu jǐ ge?

B：我 有 三 个。
　　Wǒ yǒu sān ge.

A：他 有 几 个？
　　Tā yǒu jǐ ge?

B：他 有 六 个。
　　Tā yǒu liù ge.

A：你们 一共 有 多少？
　　Nǐmen yígòng yǒu duōshao?

B：我们 一共 有 九 个。
　　Wǒmen yígòng yǒu jiǔ ge.

> 他・她 tā（名）彼・彼女　一共 yígòng（副）全部で
> 你们 nǐmen（名）あなたたち　人称＋"们 men" で複数形
> 我们 wǒmen（名）我々

14

　漢字は表意性が高く、古来より漢民族の文化を高めるのに大きな貢献をしてきたのは事実ですが、中国の人々を苦しめてきたのもまた漢字でありました。漢字はそれを身につけて自由に使いこなせるまでに、多くの時間と多大な努力を必要とするからです。日本語のひらがなやカタカナに当たるものがない中国語では、その傾向はいっそうであると言えるでしょう。中国では国民の大多数が文盲であるという状態が歴史的に長く続きましたが、それは一般庶民の教育制度が整わなかったことと、漢字の難しさが原因であると考えられます。

　そこで中国では、思い切って画数を減らした簡単な漢字＝簡体字を積極的に導入することとしました。それまで使用していた日本の旧漢字に当たる字体は繁体字と言います。

　簡体字は1955年に「漢字簡化草案」が発表されて以来、数次に渡って制定され、現在ではほぼ確定、定着しました。

簡体字の例　　　豐＝豊＝丰

　　　　　　　　賣＝売＝卖

＊左から、繁体字－日本の新字体漢字－簡体字

簡体字は画数を減らした簡単な漢字ではありますが、略字や俗字ではなく、正式な漢字です。

　また、簡体字の作定にはある程度のルールがあり、やみくもに単純化したというものではありません。そのルールを知っておくと、簡体字の理解に役立つことは言うまでもありません。そこで、以下に基本的な簡体字作定のルールを示すことにします。

①もとの字形の一部分を取る

　滅→灭　　習→习

②草書体を採用する

　書→书　　楽→乐

③偏や旁を単純化する

　難→难　　軟→软　　誰→谁　　帰→归

④会意や形声の原理に従い新たに作字する

　涙→泪　　膚→肤

⑤画数の少ない同音異字で代用する

　穀→谷　　醜→丑

　中国大陸ではすっかり定着した簡体字ですが、台湾および香港においては、2016年現在、繁体字が使用され続けています。日本も含めて、漢字使用国での字体の統一が望まれるところです。

LESSON 2 今天是四月二十号。 Jīntiān shì sì yuè èrshí hào.

【1】日付の言い方

　月日の言い方は、もちろん発音は違いますが、基本的には日本語と一緒です。日付は"日 rì"でもよいのですが話しことばでは"号 hào"の方が多いようです。

　何月何日と聞く時は"几 jǐ"を使います。

nián	yuè	rì	hào
年	月	日	号

✎練習1　次の日付を中国語で読んでみよう。**30**

① 一月五号　　　② 六月十五号　　　③ 十月三十一号

④ 十二月八日　　⑤ 几月几日？

 現代の中国には昭和、平成のような元号がないので、すべて西暦です。音読する場合には、電話番号のようにつぶ読みにします。但し、この場合、1 を yāo と読み替えることはしません。

✎練習2　次の年号を中国語で読んでみよう。**31**

① 1956年

② 2012年

③ 1488年

④ 1911年

【2】今日、明日の言い方

関連単語として、「昨日」「今日」「明日」等の単語を覚えましょう。

日本語	一昨日	昨日	今日	明日	明後日
中国語	qiántiān 前天	zuótiān 昨天	jīntiān 今天	míngtiān 明天	hòutiān 后天

16

【3】 A "是 shì" B の文型

「A "是" B」の文型は、「AはBである」という意味を表します。

我是日本人。　Wǒ shì Rìběnrén.　　私は日本人です。

你是中国人。　Nǐ shì Zhōngguórén.　　あなたは中国人です。

他是美国人。　Tā shì Měiguórén.　　彼はアメリカ人です。

> 日本人 Rìběnrén (名) 日本人　中国人 Zhōngguórén (名) 中国人
> 美国人 Měiguórén (名) アメリカ人

否定文を作るには、動詞の "是 shì" の前に "不 bù" をつけて、"不是 bú shì" という形にします。

我不是日本人。　Wǒ bú shì Rìběnrén.　　私は日本人ではありません。

你不是中国人。　Nǐ bú shì Zhōngguórén.　　あなたは中国人ではありません。

他不是美国人。　Tā bú shì Měiguórén.　　彼はアメリカ人ではありません。

疑問文を作るには、文末に "吗 ma" という終助詞を付けるだけです。語順をひっくり返したりはしません。

你是中国人吗？　Nǐ shì Zhōngguórén ma?　　あなたは中国人ですか。

他是美国人吗？　Tā shì Měiguórén ma?　　彼はアメリカ人ですか。

これに対する回答は、そうであれば "是 shì"、違っていれば "不是 bú shì" と答えます。

✎ 練習3　次の中国語を読んでみよう。　📻 **32**

① 你是中国人。

② 我不是中国人。

③ 他们都是美国人。

④ 今天是三月十五号。

⑤ 明天是八号吗？

> 他们 tāmen 彼ら　都 dōu みな すべて
> 年月日・曜日は "是" を省略できる

✎ 練習4　次の日本語を中国語にしてみよう。

① あなたは日本人ですか。

② 彼は中国人です。

③ 彼らはみなアメリカ人です。

④ 明日は何月何日ですか。

⑤ 今日は十五日ではありません。

·························· *Scene* 1 **33** 〕))

A：你 是　中国人　吗？
　　Nǐ shì Zhōngguórén ma?

B：是，我 是　中国人。
　　Shì, wǒ shì Zhōngguórén.

　　你 也 是　中国人　吗？
　　Nǐ yě shì Zhōngguórén ma?

A：不 是，我 是 日本人。
　　Bú shì, wǒ shì Rìběnrén.

·························· *Scene* 2 **34** 〕))

A：今天 是 六 月 二十六 号 吗？
　　Jīntiān shì liù yuè èrshíliù hào ma?

B：今天 不 是 二十六 号，是 二十七 号。
　　Jīntiān bú shì èrshíliù hào, shì èrshíqī hào.

A：你 的 生日 是 几 月 几 号？
　　Nǐ de shēngrì shì jǐ yuè jǐ hào?

B：六 月 二十八 号。
　　Liù yuè èrshíbā hào.

A：就是　明天　吗？　生日　快乐！
　　Jiùshì míngtiān ma? Shēngrì kuàilè!

B：谢谢。
　　Xièxie.

也 yě（副）〜も　的 de（助）〜の　就是 jiùshì すなわち つまり
生日 shēngrì（名）誕生日　快乐 kuàilè（形）楽しい 愉快だ：
生日快乐 shēngrì kuàilè 楽しい誕生日をどうぞ。
谢谢 xièxie ありがとう 感謝する

　小学校で勉強する算数で、最初の大きな壁はかけ算の九九でしょうか。覚えるのはたいへんですが、一度覚えてしまえば一生涯使えるわけで、こんな便利なものはありません。日本人は簡単に暗算でかけ算をしますが、これが九九の効用であることは言うまでもないことです。

　中国にももちろん九九があります。日本語と同じように "九九 jiǔjiǔ" とも言うし、"九九表 jiǔjiǔ biǎo"、"乗法表 chéngfǎ biǎo" とも言います。

　日本語の九九では「二二んが四」、「四二が八」と言いますが、この「が」に当たるのが "得 dé" でしょうか。つまり、以下のように言うのです。

二 二 得 四　èr èr dé sì
二 三 得 六　èr sān dé liù
二 四 得 八　èr sì dé bā…

　このまま九九八十一まで行きそうなものですが、答えが二ケタになると、音節数を揃えて覚えやすくするためでしょうか、"得 dé" が取れて、直接二ケタの解答を言うようになります。これまた日本語と同じですね。こんな具合です。

三 四 十二　sān sì shí'èr
三 五 十五　sān wǔ shíwǔ
三 六 十八　sān liù shíbā…

　最後はもちろん "九九八十一 jiǔ jiǔ bāshíyī" で終わります。

　おもしろいのは、九九を音楽に乗せて覚える、"九九歌 jiǔjiǔ gē" という歌があることです。中国人は、だいたい歌えるようです。私は北京の本屋でカセットテープを見つけて買いましたが、その後どこへ行ったか分からなくなってしまいました。今なら、ＣＤが出ているでしょうか。

お酒

実は中国では、飲酒喫煙の可能年齢を規定した法律はない。つまり高校生が飲酒しても法律には触れないということ。もちろん先生や、保護者は「ダメ！」と言いますけど。

白酒
báijiǔ

啤酒
píjiǔ

LESSON 3 明天是星期几？ Míngtiān shì xīngqī jǐ？

【1】曜日の言い方

曜日は、月、火、水…ではなく、数字で表します。「曜日」に当たる語は"星期 xīngqī"です。

月曜日	火曜日	水曜日	木曜日	金曜日	土曜日
星期一	星期二	星期三	星期四	星期五	星期六

日曜日
星期天

日曜日だけは"星期天 xīngqītiān"，"星期日 xīngqīrì"と言います。

rule このように中国語では曜日も数字ですから"几 jǐ"を使って聞きます。

💬 何曜日？　星期几？　xīngqī jǐ?

次のような言い方もよく使われる。周一（月曜日）・周二（火曜日）・周三（水曜日）・周四（木曜日）・周五（金曜日）・周六（土曜日）・周日（日曜日）

周 zhōu 週 曜日

✎練習1　次の中国語を読み、さらに日本語に訳してみよう。**35**

① 今天是星期一吗？
② 昨天是星期二。
③ 明天是星期几？
④ 今天不是星期五，是星期四。

【2】"叫 jiào，姓 xìng"の用法

"叫 jiào，姓 xìng"は、それぞれ「～という名を名乗る」「～という姓を名乗る」という意味の動詞です。

您贵姓？ Nín guì xìng?　姓は何とおっしゃいますか。（敬語表現）

我姓李。　Wǒ xìng Lǐ.　私は李という姓です。

我叫毛恩来。　Wǒ jiào Máo Ēnlái.　私は毛恩来という名前です。

✎練習2　次の中国語を読み、さらに日本語に訳してみよう。 **36** 🎵

① 我姓田中。
② 我叫山田太郎。
③ 她叫万里。
④ 我姓张，他也姓张。

【3】"什么 shénme" の用法

"什么 shénme" は英語の what に相当する疑問詞です。ただ、what と違い、疑問詞だからと言って、必ず文頭に置く必要はありません。

你有什么？ Nǐ yǒu shénme?　あなたは何を持っていますか。

他是什么人？ Tā shì shénme rén?　彼は何ものですか。

他叫什么名字？ Tā jiào shénme míngzi?　彼は何という名前ですか。

名字 míngzi（名）名前

✎練習3　次の日本語を中国語に訳してみよう。

① 彼は何を持っていますか。
② あなたの名前は何ですか。
③ あなたのお父さんは、どこの国の人ですか。

爸爸 bàba お父さん　国家 guójiā 国
什么国家 shénme guójiā どこの国

街角の食べ物

衛生面を気にしなければ、実はこういった屋台の食べ物が安くてうまい。
一日数百円で三食たべられる。

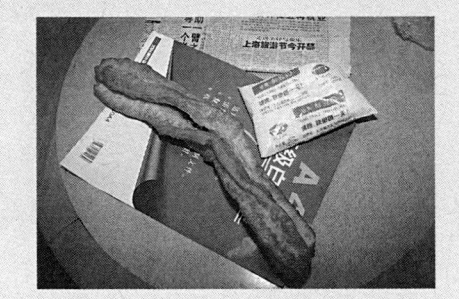

油条・豆浆
yóutiáo、dòujiāng

生煎
shēngjiān

·········· *Scene* 1 37 🔊

A：你 好，您 贵姓？
　　Nǐ hǎo, nín guìxìng?

B：我 姓 王， 叫 王 力。 你 呢？
　　Wǒ xìng Wáng, jiào Wáng Lì.　Nǐ ne?

A：我 姓 佐佐木。
　　Wǒ xìng Zuǒzuǒmù.

※ 佐佐木＝佐々木

B：哦，你 叫 佐佐木。
　　Ò, nǐ jiào Zuǒzuǒmù.

A：不，我 姓 佐佐木， 叫 佐佐木 雄三郎。
　　Bù, wǒ xìng Zuǒzuǒmù, jiào Zuǒzuǒmù Xióngsānláng.

B：那么 长。 佐佐木 先生， 初次 见面， 请 多 关照。
　　Nàme cháng. Zuǒzuǒmù xiānsheng, chūcì jiànmiàn, qǐng duō guānzhào.

·········· *Scene* 2 38 🔊

A：星期六 晚上 有 时间 吗？
　　Xīngqīliù wǎnshang yǒu shíjiān ma?

B：对不起，星期六 没 有 时间。
　　Duìbuqǐ, xīngqīliù méi yǒu shíjiān.

A：那，下 星期一 好 吗？
　　Nà, xià xīngqīyī hǎo ma?

B：下 星期一 没 问题。
　　Xià xīngqīyī méi wèntí.

A：好，下 星期一 再见！
　　Hǎo, xià xīngqīyī zàijiàn!

你好 nǐhǎo こんにちは　您贵姓 nín guìxìng お苗字は？ 相手の姓を聞く敬語
那么 nàme そんなに なんと　长 cháng（形）長い　先生 xiānsheng（名）～さん 男性の敬称
初次见面 chūcì jiànmiàn 初めまして　请多关照 qǐng duō guānzhào よろしくお願いします
那 nà（接）それでは　晚上 wǎnshang（名）夕方 夜　对不起 duìbuqǐ ごめんなさい
没问题 méi wèntí 問題ない 大丈夫　好 hǎo（形）よろしい よい
下星期 xià xīngqī 来週 ←→ 上星期 shàng xīngqī 先週　再见 zàijiàn さようなら また会おう

　　ピンインを覚えるのを面倒がる人がいますが、中国語学習のためには避けて通ることはできません。ピンインは単に発音を理解するためだけではなく、辞書を引いたり、メールを打つのにも必要だからです。

１．辞書を引く

　　中国語辞典は、原則としてピンインで引きます。アルファベット順に配列してある親字を見つけ、その中からさらにアルファベット順に配列してある目的の単語を探します。もちろん読み（ピンイン）が分からなければ、漢和辞典と同じように部首から親字を探すより仕方がありません。
試しに以下の単語を、辞書で調べてみましょう。

　① 手机　shǒujī
　② 方便面　fāngbiànmiàn
　③ 戒指　jièzhi
　④ 跑步　pǎobù

２．パソコンを使う

　　中国語では、パソコン入力もピンインで行います。中国語ワープロでは、ピンインをから漢字に変換するのが普通です。その際、特に四声を入れる必要はありません。いくつかの候補が出ますから、その中から選択するのは日本語と同じです。
　　困るのはウムラウト"ü"ですが、これはⅴを押せば出ます。四声記号を入れたピンインを表記することも可能です。
　　Windows では中国語をインストールしておけば、言語バーにあるＪＰの部分をクリックすると、ＣＨに変わります。ＣＨはすなわち chinese です。ピンインで中国語が入力できるようになりますから、以下の単語を打ってみましょう。

　① 汉堡包　hànbǎobāo
　② 遥控器　yáokòngqì
　③ 手套　shǒutào
　④ 女孩　nǚhái

３．メールを出す

　　今や電子メールは日常生活に欠かせない必須アイテムとなっていますが、中国語でメールを打つ場合もピンインで入力します。携帯電話で使うショートメールも同様です。

４．おまけ

　　以上、中国語を学び活用するためには、ピンインがいかに重要かを述べました。最後に、ピンインが読めない時はこうすればよいという方法を示しておきましょう。ピンインは原則として、子音＋母音でできています。もし読めないものがあったら、まず母音部分だけを読んでみましょう。次に四声をつけて発音します。そして最後に子音を入れればもう大丈夫です。

第四课 Dì sì kè

LESSON 4

我买这个。 Wǒ mǎi zhèige.

【1】ＳＶＯの文型

動詞が目的語をとる場合、目的語は動詞の後に置かれます。つまり英語と同じです。
否定は "不 bù" を、動詞の前に置きます。

我爱你。 Wǒ ài nǐ　私はあなたを愛している。

你学习英文吗？ Nǐ xuéxí Yīngwén ma?　あなたは英語を勉強しますか。

我吃饺子，不吃烧卖。 Wǒ chī jiǎozi, bù chī shāomài.
私は餃子を食べます、シュウマイは食べません。

妈妈明天去中国。 Māma míngtiān qù Zhōngguó.　母は明日中国へ行きます。

✎練習1　次の中国語を読み、さらに日本語に訳してみよう。 **39**

① 你爱我吗？
② 我爸爸学习英文。
③ 妈妈不喝啤酒，喝可乐。
④ 姐姐下星期六去美国吗？

> 喝 hē（動）飲む　啤酒 píjiǔ（名）ビール
> 可乐 kělè（名）コーラ　妈妈 māma（名）お母さん
> 爸爸 bàba（名）お父さん　姐姐 jiějie（名）姉

【2】お金の言い方

　中国のお金の単位は "元 yuán" ですが、その下に "角 jiǎo, 分 fēn" という単位があります。
また、"元"、"角" は、話しことばではそれぞれ "块 kuài, 毛 máo" と言うことが多いようです。

　　1元（块）＝10角（毛）＝100分

また、"2块"、"2毛" は、それぞれ "liǎng kuài", "liǎng máo" と読みます。

100元札

1元硬貨

例にならって以下の金額を簡体字にし、さらにそれを読んでみよう。 **40** 🎝

例 25.5 → 二十五块五毛 → èrshíwǔ kuài wǔ máo

① 43.76
② 128.8
③ 360
④ 2.22

"元 yuán" や "块 kuài" という単位がつくと、360の最後のケタを省略することはできません。

360块　○　sānbǎi liù shí kuài　　×　sānbǎi liù kuài

【3】こ、そ、あ、ど、ことば

日本語	これ	それ	あれ	どれ
中国語	这 zhè（个）	那 nà（个）		哪 nǎ（个）

rule
- 中国語には、「それ（中称）」に相当する語はありません。そのため、中国語の "这" の指示範囲は日本語の「これ」よりも広いようです。
- "个 ge" をつけると具体的な「この一個」というような意味が出ます。
- それぞれ、"这 zhèi，那 nèi，哪 něi" という読みもあります。意味はまったく変わりません。
- 儿化したり、"里 li" をつけると、場所を示すことばになります。

这儿 zhèr，这里 zhèli ＝ ここ
那儿 nàr，那里 nàli ＝ そこ
哪儿 nǎr，哪里 nǎli ＝ どこ

次の中国語を読み、さらに日本語に訳してみよう。 **41** 🎝

① 我买这个。
② 这是什么？
③ 这儿有图书馆吗？
④ 哪个是你的？

买 mǎi（動）買う　什么 shénme（疑）何
图书馆 túshūguǎn（名）図書館

A：你　好，　欢迎　　光临。
　　Nǐ　hǎo,　huānyíng　guānglín.

B：这儿　有　Tⅺ　吗？
　　Zhèr　yǒu　Txù　ma?

A：有。你　喜欢　什么　颜色？
　　Yǒu. Nǐ　xǐhuan　shénme　yánsè?

　　黑色、绿色、红色、白色、蓝色、粉色、黄色，　都　有。
　　Hēisè、lùsè、hóngsè、báisè、lánsè、fěnsè、huángsè, dōu yǒu.

B：这个　多少　钱？
　　Zhèige　duōshao　qián?

A：一百　五十五　块。
　　Yìbǎi　wǔshíwǔ　kuài.

B：哟，太　贵　了。便宜　点儿　吧。
　　Yō, tài　guì　le. Piányi　diǎnr　ba.

A：一百三，怎么样？
　　Yìbǎisān, zěnmeyàng?

B：嗯…。
　　Ng….

A：一百二，好　吧？
　　Yìbǎi'èr,　hǎo　ba?

B：好，我　买　这个。
　　Hǎo, wǒ　mǎi　zhèige.

欢迎光临 huānyíng guānglín いらっしゃいませ　Tⅺ Txù（名）Tシャツ　喜欢 xǐhuan（動）〜を好む
颜色 yánsè（名）色　黑色 hēisè（名）黒色　绿色 lùsè（名）緑色　红色 hóngsè（名）赤色
白色 báisè（名）白色　蓝色 lánsè（名）青色　粉色 fěnsè（名）ピンク色　黄色 huángsè（名）黄色
多少钱 duōshao qián（名）いくらですか　哟 yō えっ　太贵了 tài guì le（値段が）高すぎる
便宜 piányi（形）安い；便宜点儿吧 piányi diǎnr ba ちょっと安くしてよ　嗯 ng（感）うん

コラム　疑問詞

　本文でいくつか疑問詞が出てきたので、ここでまとめておきましょう。英語では5W1Hとも言って、疑問詞は6語しかないように思えますが、実際にはもう少しあるようです。

什么 shénme　　なに　英語の what に相当

什么时候 shénmeshíhou　　いつ　時を尋ねる

什么地方 shénmedìfang

哪儿 nǎr　　どこ　場所を尋ねる

为什么 wèishénme　　なぜ

　　　 "为什么" の問には "因为 yīnwèi" で答えるが、これはつまり英語の why と because
　　　の関係。"为什么" は直訳すれば「何の為に」だが、目的より原因理由を尋ねる。本当
　　　に目的を聞く時は "为了什么 wèile shénme" と言う。

怎么 zěnme　　どう どのように どういうわけで

　　　英語の how に相当するが、意味が広く、前後の文脈からの判断が必要。
　　　"怎么～～?" は「どうやって～～するのか」という手段、方法を聞く意味と、「どうい
　　　うわけで～～するのか」という理由を聞く意味とがある。派生語も多い。"怎么样
　　　zěnmeyàng" で状態を聞く感じ。「どうですか」「如何ですか」。"怎么回事 zěnme
　　　huíshì" なら、「どうしたことか」

哪个 nǎge　　どれ どの

　　　英語の which に相当。選択肢が二つしかなくても使用可。

谁 shuí (shéi)　　だれ

几 jǐ 多少 duōshao　　いくつ どれだけ

　　　"几" はあまり大きくない数字を聞くのに用いる。（第一課参照）年齢を聞く場合は "多
　　　大 duōdà" を、長さを聞く場合は "多长 duōcháng" を用いる。

 麺類

日本のようなスープ麺とともに、和え麺も多い。ちなみに
日本式のラーメンは日本料理。
日本を訪れる中国人観光客の目的のひとつが、「本場のラー
メンを食べること」だったりする。

葱油拌面
cōngyóu bànmiàn

炸酱面
zhájiàng miàn

LESSON
5

厕所在哪儿？ Cèsuǒ zài nǎr ?

【1】"在 zài" の用法

"在" という動詞は主語の所在場所を表します。

英文课本在桌子上。　Yīngwén kèběn zài zhuōzi shang.

英語の教科書は机の上にあります。

刘老师在上海吗？　Liú lǎoshī zài Shànghǎi ma?　劉先生は上海にいるのですか。

我妈妈不在家。　Wǒ māma bú zài jiā.　母は家にいません。

✎ 練習1　次の中国語を読み、さらに日本語に訳してみよう。**43**

① 你家在北京吗？
② 张先生在二楼。
③ 厕所在哪儿？
④ 李老师在吗？
　　　在，请进。

二楼 èr lóu（名）二階　厕所 cèsuǒ（名）トイレ
请进 qǐng jìn どうぞ中へお入り下さい

"在" は、実は動詞 "有" と裏表の関係にあります。つまりこういうことです。

英文课本在桌子上。　英語の教科書は机の上にあります。
　＝桌子上有英文课本。　机の上に英語の教科書があります。
厕所在二楼。　トイレは二階にあります。
　＝二楼有厕所。　二階にトイレがあります。

✎ 練習2　次の中国語を読み、"有" を使った文に書き改めよ。**44**

① 银行在这儿吗？
② 中国留学生在电气科。

银行 yínháng（名）銀行　留学生 liúxuéshēng（名）留学生
电气 diànqì（名）電気　科 kē（名）学科

【2】重さと長さの言い方

中国では日本と同じメートル法が基本です。ただ、読み方が異なるので、その点を確認しておきましょう。

[長さの単位]　mm＝毫米　háomǐ

　　　　　　　cm＝公分　gōngfēn，厘米　límǐ

　　　　　　　m＝公尺　gōngchǐ，米　mǐ

　　　　　　　km＝公里　gōnglǐ

[重さの単位]　g＝克　kè

　　　　　　　kg＝公斤　gōngjīn

rule　社会生活では伝統的な単位 "斤 jīn" もよく用いられます。1斤は500gで "公斤"
＝kgの半分しかありませんから、間違えたらたいへんです。ただ単に "斤" とも
言いますが、"公斤 gōngjīn" と区別するために "市斤 shìjīn" とも言います。"斤"
の下には "两" liǎng＝50gという単位があります。

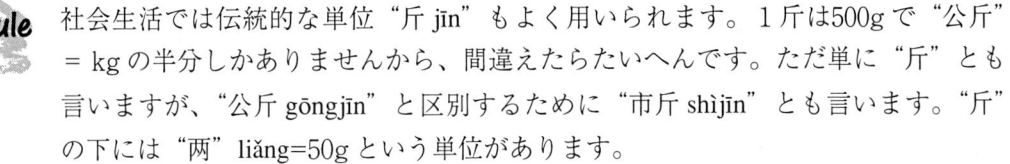

✎練習3　例にならって以下の重さ、長さを簡体字にし、さらにそれを読んでみよう。　**45**))

　　　例　25kg → 二十五公斤 → èrshíwǔ gōngjīn

　　①　38g　　　　　　　　② 620km

　　③　1m63cm　　　　　　④ 28mm

　　⑤　4斤3两

【3】反復疑問文

文末に "吗 ma" をつけると疑問文になるということは、すでに学習しました。この他に、
肯定と否定を並べて疑問文にするという方法があります。

　　她是中国人，她不是中国人。

但し、"她" と "中国人" は重なっているので、ひとつずつでよろしい。

　　她是不是中国人？ 彼女は中国人ですか。

　＊これは "吗" で作る疑問文よりも丁寧な表現とされています。

✎練習4　次の中国語を読み、さらに日本語に訳してみよう。　**46** 🔊

① 今天是不是星期五？

② 李老师在不在？

③ 你买不买这本书？

④ 你有没有照相机？

> 本　běn（量）冊：这本书 この一冊の本
> 照相机　zhàoxiàngjī（名）カメラ

会話練習　Ⓐ Ⓑ

······················· *Scene* 1　**47** 🔊

A：请问，　这儿　有　没　有　超级　市场？
　　Qǐngwèn,　zhèr　yǒu　méi　yǒu　chāojí　shìchǎng?

B：有。　在　地下。
　　Yǒu.　Zài　dìxià.

A：地下　有　没　有　厕所？
　　Dìxià　yǒu　méi　yǒu　cèsuǒ?

B：没　有。厕所　在　一　楼。
　　Méi　yǒu. Cèsuǒ　zài　yī　lóu.

A：你　去　不　去　厕所？
　　Nǐ　qù　bu　qù　cèsuǒ?

B：去。　咱们　一起　去　吧。
　　Qù. Zánmen　yìqǐ　qù　ba.

······················· *Scene* 2　**48** 🔊

A：这　栗子　多少　钱？
　　Zhè　lìzi　duōshao　qián?

B：一　斤　三十六　块。
　　Yì　jīn　sānshíliù　kuài.

A：一　斤　是　不　是　一千　克？
　　Yì　jīn　shì　bu　shì　yìqiān　kè?

B：我　说的　是　一　市斤。就是　五百　克。
　　Wǒ　shuōde　shì　yí　shìjīn. Jiùshì　wǔbǎi　kè.

Ａ：那， 我 买 半 斤。
　　Nà, wǒ mǎi bàn jīn.

Ｂ：好， 十八 块 钱。
　　Hǎo, shíbā kuài qián.

请问 qǐngwèn おたずねします　超级市场 chāojí shìchǎng（名）スーパーマーケット
地下 dìxià（名）地下　去 qù（動）行く　咱们 zánmen（名）（相手も含めて）私たち
一起 yìqǐ（副）一緒に　栗子 lìzi（名）くり　说的 shuōde 言ったこと
就是 jiùshì（副）すなわち つまり　那 nà（接）それでは

コラム　加減乗除と小数、分数

　加減乗除ということばは、もともと中国語です。つまり中国語では、"加 jiā"たす、"減 jiǎn"ひく、"乗 chéng"かける、"除 chú"わる、という動詞を使います。実際の計算式を読んでみましょう。「＝」は"děngyú"または"dé"と読みます。

3＋2＝5　　三加二等于（得）五。　sān jiā èr děngyú (dé) wǔ.

6－4＝2　　六減四等于（得）二。　liù jiǎn sì děngyú (dé) èr.

5×3＝15　　五乗三等于（得）十五。　wǔ chéng sān děngyú (dé) shíwǔ.

7÷2＝3.5　　七除二等于（得）三点五。　qī chú èr děngyú (dé) sāndiǎnwǔ.

　最後の式に3.5という小数が出てきました。中国語では小数点は"点 diǎn"と読み、あとは日本語と同じです。分数も同様で、"分 fēn"、"之 zhī"を中国音で読めばそのまま通じます。

$\frac{3}{5}$　五分之三　wǔ fēn zhī sān

$\frac{2}{9}$　九分之二　jiǔ fēn zhī èr

　％（パーセント）は、"百分之 bǎi fēn zhī"と言います。つまりこういうことです。

50％　百分之五十　bǎi fēn zhī wǔshí

43％　百分之四十三　bǎi fēn zhī sìshísān

31

LESSON 6　上海的天气怎么样？ Shànghǎi de tiānqì zěnmeyàng ?

【1】主語＋形容詞の構文

　形容詞は直接述語になることができます。英語では形容詞は be 動詞を伴いますが、中国語では必要ありません。

　　○　人口很多。　Rénkǒu hěn duō.　　人口が多い。
　　×　人口是很多。

　"很 hěn" は、とても、たいへん、という意味の副詞ですが、ここでは特に強い意味を持たず、語調を整えるためにあるに過ぎません。特に形容詞が1音節（漢字1字）の場合は "很" を伴うのが普通です。
　疑問文は文末に "吗" を、否定文は "不" で打ち消すのはこれまでと同じです。

　　人口多吗？　Rénkǒu duō ma?　　人口が多いですか。
　　人口不多。　Rénkǒu bù duō.　　人口が多くない。

✎練習1　次の中国語を読み、さらに日本語に訳してみよう。**49**

　① 天很蓝。
　② 中国很大。
　③ 你妈妈很漂亮。
　④ 这个饺子不好吃。
　⑤ 最近忙不忙？

> 天 tiān (名) 空　蓝 lán (形) 青い　大 dà (形) 大きい
> 漂亮 piàoliang (形) 美しい　饺子 jiǎozi (名) ギョーザ
> 好吃 hǎochī (形) (食べて) おいしい：飲み物なら
> 好喝 hǎohē　最近 zuìjìn (名) 最近　忙 máng (形) 忙しい

【2】"太 tài" の用法と季節の言い方

　"太 tài" は "很" と同じ、「とても、たいへん」という意味の副詞です。"太" は必ず強調の意味を持ち、内容によっては、「〜過ぎる」という意味にもなります。"太" は文末に "了" を伴って "太〜〜了" の形を取ることが多いようです。

　　天气太好。　Tiānqì tài hǎo.　　天気がとてもよい。
　　时间太晚了。　Shíjiān tài wǎn le.　　時間が遅すぎる。
　　太好了！　Tài hǎo le!　　すばらしい！

"不太～" で部分否定、「あまり～でない」という意味になります。季節を表す語とともに覚えましょう。

春	夏	秋	冬	暑い	寒い	暖かい	涼しい
chūntiān 春天	xiàtiān 夏天	qiūtiān 秋天	dōngtiān 冬天	rè 热	lěng 冷	nuǎnhuo 暖和	liángkuai 凉快

✎ 練習2　次の中国語を読み、さらに日本語に訳してみよう。 **50**

① 冬天太冷。

② 秋天不太冷。

③ 天气太不好。

✎ 練習3　次の日本語の文を中国語にせよ。

① 東京の夏は暑すぎる。

② 北京の秋は涼しい。

③ 上海の春はあまり寒くない。

> 东京 Dōngjīng 東京　　北京 Běijīng 北京
> 上海 Shànghǎi 上海

【3】助動詞 "想 xiǎng, 要 yào, 应该 yīnggāi" の用法

中国語の助動詞は、英語と同じで動詞の前に置かれます。打ち消しの "不" は助動詞の前です。ここでは "想 xiǎng, 要 yào, 应该 yīnggāi" という三つの助動詞を例にとって説明しましょう。

💬 "想"「～したい」

我想买一本中日词典。　Wǒ xiǎng mǎi yì běn Zhōng-Rì cídiǎn.

私は中日辞典を一冊買いたい。

你想回家吗？　Nǐ xiǎng huíjiā ma?　あなたは家へ帰りたいですか。

💬 "要"「～したい ～しなければならない ～だろう」

她要学工学。　Tā yào xué gōngxué.　彼女は工学を学びたい。

你们要洗手。　Nǐmen yào xǐshǒu.　あなた方は手を洗わなければならない。

明天要下雨。　Míngtiān yào xiàyǔ.　明日は雨が降るだろう。

rule "要"の打ち消し "不要 búyào" は、「～してはいけない、する必要はない」という感じです。

你们不要洗手。　Nǐmen búyào xǐshǒu.　あなた方は手を洗う必要はない。

你不要先回家。　Nǐ búyào xiān huíjiā.　あなたは先に帰ってはいけない。

不要客气。　Búyào kèqi.　ご遠慮なく。

💬 *"应该"「～しなければならない」*

我们应该每天努力学习。　Wǒmen yīnggāi měitiān nǔlì xuéxí.

我々は毎日努力して勉強しなければならない。

rule "应该"の打ち消し "不应该" は、「～してはならない」という禁止の意味になります。～しなくてもよい、という意味を出すには、"不用 búyòng" を用いるとよいでしょう。

今天不用上班。　Jīntiān búyòng shàngbān.　今日は出勤しなくてもよい。

今天不应该上班。　Jīntiān bù yīnggāi shàngbān.　今日は出勤してはいけない。

✎ 練習4　次の中国語を読み、さらに日本語に訳してみよう。 **51** 📶

① 明天有考试，应该努力学习。

② 你想去中国吗？

③ 时间还早，不用着急。

④ 电车马上要来。

⑤ 我不想吃蔬菜。

⑥ 时间太晚，不应该打电话。

> 考试 kǎoshì（名）試験　还 hái（副）まだ　电车 diànchē（名）電車
> 着急 zháojí（動）焦る 慌てる　马上 mǎshàng（副）すぐに まもなく
> 蔬菜 shūcài（名）野菜　晚 wǎn（形）（時間的に）おそい：
> 打电话 dǎ diànhuà 電話をする

······························ *Scene* 1 **52** 🔊

A：你　想　去　北京　吗？
　　Nǐ　xiǎng　qù　Běijīng　ma?

B：很　想　去。北京　的　冬天　冷　不　冷？
　　Hěn　xiǎng　qù.　Běijīng　de　dōngtiān　lěng　bu　lěng?

A：太　冷　了！你　应该　穿　羽绒衣。
　　Tài　lěng　le!　Nǐ　yīnggāi　chuān　yǔróngyī.

B：夏天　热　吗？
　　Xiàtiān　rè　ma?

A：夏天　不太　热，你　不要　担心。
　　Xiàtiān　bútài　rè,　nǐ　búyào　dānxīn.

······························ *Scene* 2 **53** 🔊

A：外边儿　冷！
　　Wàibiānr　lěng!

B：天气　不　好　吗？
　　Tiānqì　bù　hǎo　ma?

A：天气　很　好，但是　风　大。
　　Tiānqì　hěn　hǎo,　dànshì　fēng　dà.

B：我　要　去　买　东西。怎么　办？
　　Wǒ　yào　qù　mǎi　dōngxi.　Zěnme　bàn?

A：风　太　大　了，一定　会　感冒。
　　Fēng　tài　dà　le,　yídìng　huì　gǎnmào.

穿 chuān（動）着る　羽绒衣 yǔróngyī（名）ダウンジャケット　担心 dānxīn（名）心配する
外边儿 wàibiānr（方）外　但是 dànshì（接）しかし　风 fēng（名）風：风大 風が強い
东西 dōngxi（名）もの；买东西 mǎi dōngxi 買い物する　怎么办 zěnme bàn どうしよう
一定 yídìng（副）きっと 必ず　感冒 gǎnmào かぜをひく

第5課のコラムで、加減乗除と小数、分数の言い方を述べました。ここではもう少し、数学に関する用語に触れましょう。

実は、数学に関する用語の多くは日本語と同じです（もちろん異なるものもあります）。それは西欧から入った数学用語を漢語に訳し（どちらが先に訳したかは別として）、漢字を共有する両国がそれもまた共用したからです。表意文字である漢字の力が再確認されます。もちろん、漢字は同じでも、発音は中国語音で読まねばなりません。日本語と表現が異なるものは、ゴチック体にしておきます。

1．図形を表す語

円周率　圓周率 yuánzhōulǜ

鋭角　锐角 ruìjiǎo

鈍角　钝角 dùnjiǎo

対角線　对角线 duìjiǎoxiàn

台形　**梯形** tīxíng

菱形　菱形 língxíng

正三角形　正三角形 zhèngsānjiǎoxíng

二等辺三角形　**等腰三角形** děngyāosānjiǎoxíng

正方形　正方形 zhèngfāngxíng

長方形　长方形 chángfāngxíng　**矩形** jǔxíng

平行四辺形　平行四边形 píngxíngsìbiānxíng

円錐　圆锥 yuánzhuī

2．数式用語、記号

等差数列　等差数列 děngchàshùliè
二元一次方程式　二元一次方程式 èryuányícìfāngchéngshì

∞	**无穷大** wúqióngdà	＝	等号 děnghào
°	度 dù	Σ	**和** hé
＜	**小于号** xiǎoyúhào	＞	**大于号** dàyúhào
lim	极限 jíxiàn	∫	积分记号 jīfēnjìhào

英語の function を訳すにあたって、中国語では発音の似ている"函 hán"という文字を当てました。それが日本に入ったとき、"函 hán"と日本語音が同じ「関」に置き換わり、「関数」ということばができたのです。ですから、f（ ）は、中国語では"函数符号 hánshù fúhào"と言います。

LESSON 7　明天我七点半上班。 Míngtiān wǒ qī diǎn bàn shàngbān.

【1】時間の言い方

「～時～分」というのは、"～点 diǎn　～分 fēn" と言います。「秒」は "秒 miǎo" です。何時何分と聞く場合は、最大でも59以下の小さめの数字ですから、やはり "几 jǐ" を使います。

現在几点几分？ Xiànzài jǐ diǎn jǐ fēn?　今、何時何分ですか。
四点二十分。 Sì diǎn èrshí fēn.　4時20分です。

 2時は、"二点 èr diǎn" ではなく、"两点 liǎng diǎn" と言うのが普通です。"二 èr" が序数、"两 liǎng" が量数ですから、"二点" の方が理にかなっているように思えるのですが、時刻を表す "～点 diǎn" は、もともと鐘を突くことだったのです。つまり "两点" は2回鐘を突くという意味なのです。

両点四十分。 liǎng diǎn sìshí fēn.　2時40分

特別な時刻を言うことばもあります。

九点半　 jiǔ diǎn bàn　9時半
十点一刻　 shí diǎn yí kè　10時15分
十二点三刻　 shí'èr diǎn sān kè　12時45分
差十分五点　 chà shífēn wǔ diǎn　5時10分前

✎練習1　次の時刻を中国語で言ってみよう。 **54**
　①5：38　　②2：20　　③11：30　　④0：45　　⑤15：15

あわせて、一日の時間帯を区切る単語を覚えましょう。

日本語	早朝	朝	午前	正午	午後	夕方	夜間
中国語	zǎochén 早晨	zǎoshang 早上	shàngwǔ 上午	zhōngwǔ 中午	xiàwǔ 下午	bàngwǎn 傍晚	wǎnshang 晚上

【2】"会 huì，能 néng，可以 kěyǐ"

　助動詞 "会 huì，能 néng，可以 kěyǐ" は、いずれも「可能」の助動詞です。ただ、その用法には区別があります。

🗨 "会"　後天的に身につけた能力について言う。スポーツ、外国語等。

　　你会说汉语吗？　Nǐ huì shuō Hànyǔ ma?　　あなたは中国語が話せますか。
　　我不会打网球。　Wǒ bú huì dǎ wǎngqiú.　　私はテニスができません。

> 汉语 Hànyǔ（名）中国語　网球 wǎngqiú（名）テニス

🗨 "能"　そういう能力がある、条件が備わっている。

　　她今天能不能来？　Tā jīntiān néng bu néng lái?　　彼女は今日来られますか。
　　鸡不能飞。　Jī bù néng fēi.　　ニワトリは飛べません。

> 鸡 jī（名）ニワトリ　飞 fēi（動）飛ぶ

🗨 "可以"　許可の感じ。「〜してもよい」

　　我可以再喝一杯吗？　Wǒ kěyǐ zài hē yì bēi ma?　　もう一杯飲んでも良いですか。
　　小孩子不可以抽烟。　Xiǎoháizi bù kěyǐ chōuyān.　子どもはタバコを吸ってはいけません。

> 小孩子 xiǎoháizi（名）子ども

✏ 練習2　　次の日本語を中国語にしてみよう。
　　① 私は英語が話せます。
　　② あなたはスキーができますか。
　　③ お話ししてもよいですか。
　　④ 明日、先生は来ることができますか。

> 滑雪 huáxuě（動）スキーをする

【3】 介詞 "对 duì, 在 zài, 跟 gēn" の用法

介詞というのは、英語の前置詞のような働きをする語です。

💬 "对 duì" 「～に向かって ～に対して」

妈妈总是对我说 " 吃蔬菜 "。　Māma zǒngshì duì wǒ shuō "Chī shūcài".

お母さんはいつも私に「野菜を食べなさい」と言う。

総是 zǒngshì（副）いつも

大家对我很好。　Dàjiā duì wǒ hěn hǎo.　みんな私にとてもよくしてくれる。

大家 dàjiā（名）みんな

💬 "跟 gēn" 「～と ～に対して ～とともに」

她要跟你一起去买东西。　Tā yào gēn nǐ yìqǐ qù mǎi dōngxi.

彼女はあなたと一緒に買い物に行きたい。

我想跟宋老师学习汉语。　Wǒ xiǎng gēn Sòng lǎoshī xuéxí Hànyǔ.

私は宋先生に中国語を習いたい。

💬 "在 zài"　もともと、「～にある」という意味の動詞ですが（第5課）、場所を表す、「～で」という介詞としても働きます。

你在哪儿吃午饭？　Nǐ zài nǎr chī wǔfàn?　あなたはどこで昼食を食べますか。

午饭 wǔfàn（名）昼食

今晚我在家看电视。　Jīnwǎn wǒ zài jiā kàn diànshì.　今晚私は家でテレビを見ます。

［動詞の用例］

黄老师在办公室。　Huáng lǎoshī zài bàngōngshì.　黄先生は事務所にいます。

办公室 bàngōngshì 事務所

✎ 練習3　次の中国語を読み、さらに日本語に訳してみよう。 **55** 〽

① 你跟我们一起去吧。
② 你想跟李老师学习吗？
③ 我们在这儿休息一会儿。
④ 我跟男朋友一起在外边儿吃午饭。

休息 xiūxi（動）休息する
一会儿 yíhuìr しばらくの間
男朋友 nánpéngyou（名）ボーイフレンド
外边儿 wàibianr（名）外

.... *Scene* 1 56 🔊

A：你 好，你 今天 几 点 下班？
　　Nǐ hǎo, nǐ jīntiān jǐ diǎn xiàbān?

B：五 点 半。
　　Wǔ diǎn bàn.

A：你 能 不 能 跟 我 一起 吃 晚饭？
　　Nǐ néng bu néng gēn wǒ yìqǐ chī wǎnfàn?

B：能。 没 问题。 咱们 在 哪儿 吃饭？
　　Néng. Méi wèntí. Zánmen zài nǎr chīfàn?

A：去 东来顺 吃 涮羊肉， 怎么样？
　　Qù Dōngláishùn chī shuànyángròu, zěnmeyàng?

B：太 好 了！ 我 很 喜欢。
　　Tài hǎo le! Wǒ hěn xǐhuan.

A：那，我 晚上 七 点 在 门口 等 你。
　　Nà, wǒ wǎnshang qī diǎn zài ménkǒu děng nǐ.

B：对 了！ 我 可以 带 小李 去 吗？
　　Duì le! Wǒ kěyǐ dài Xiǎo-Lǐ qù ma?

　　吃 火锅， 人 越 多 越 好吃。
　　Chī huǒguō, rén yuè duō yuè hǎochī.

A：可，可以…。
　　Kě, kěyǐ….

.... *Scene* 2 57 🔊

A：你 会 说 英语 吗？
　　Nǐ huì shuō Yīngyǔ ma?

B：我 不太 会。你 想 学习 英文 吗？
　　Wǒ bútài huì. Nǐ xiǎng xuéxí Yīngwén ma?

A：想。 你 跟 谁 学习？
　　Xiǎng. Nǐ gēn shéi xuéxí?

B：李 小姐。她 很 会 说 英语。你 要 参加 吗？
　　Lǐ xiǎojiě. Tā hěn huì shuō Yīngyǔ. Nǐ yào cānjiā ma?

A：你们　什么　时候　学习？
　　Nǐmen shénme shíhou xuéxí?

B：每　星期天　　晚上　八　点。你　能　参加　吗？
　　Měi xīngqītiān wǎnshang bā diǎn. Nǐ néng cānjiā ma?

　　有　没　有　空？
　　Yǒu méi yǒu kòng?

A：太　好　了，当然　有。谢谢　你。我　一定　去。
　　Tài hǎo le, dāngrán yǒu. Xièxie nǐ. Wǒ yídìng qù.

下班 xiàbān（動）退社する　晚饭 wǎnfàn（名）晚ごはん　哪儿 nǎr（疑）どこ　没问题 méiwèntí 問題なし 大丈夫
东来顺 Dōngláishùn（固）北京のレストラン　涮羊肉 shuànyángròu（名）羊のしゃぶしゃぶ　喜欢 xǐhuan（動）好む 好きだ
晚上 wǎnshang（名）夕方 夜　门口 ménkǒu（名）入口　等 děng（動）待つ　对了 duì le そうだ　小李 Xiǎo-Lǐ（固）李さん
带 dài（動）伴う 身につける 持つ　火锅 huǒguō（名）鍋料理　越～越～ yuè～yuè～～であればあるほどますます～である
参加 cānjiā（動）参加する　小姐 xiǎojiě（名）お嬢さん miss　什么时候 shénmeshíhou（疑）いつ　～空 ~kòng（名）ひま 空
き時間　当然 dāngrán（副）当然　一定 yídìng（副）きっと 必ず

コラム　　あいさつ言葉

　日常的な挨拶ことばを覚えましょう。

□你好。Nǐ hǎo.　こんにちは。（一日中いつでも使える。名前の分からない人への呼びかけに使うことも多い。）

□你早。Nǐ zǎo. ／早上好。Zǎoshang hǎo.　お早うございます。

□晚上好。Wǎnshang hǎo.　こんばんは。

□谢谢。Xièxie. ／多谢。Duōxiè.　ありがとう。

□不用谢。Búyòng xiè. ／哪儿的话。Nǎr de huà.　どういたしまして。
　　　　　（直訳すれば「感謝の必要はありません」「何の話しですか」。）

□对不起。Duìbuqǐ. ／请原谅。Qǐng yuánliàng.　ごめんなさい。お許し下さい。

□没关系。Méi guānxi.　かまいませんよ。

□麻烦你了。Máfan nǐ le.　ご面倒をおかけしました。

□不客气。Bú kèqi.　ご遠慮なく。

□初次见面。Chūcì jiànmiàn.　初めまして。（日本語の直訳。）

□请多关照。Qǐng duō guānzhào.　よろしくお願いします。（日本語の直訳。）

□晚安。Wǎn ān. ／休息吧。Xiūxi ba. お休みなさい。（それぞれ英語、日本語の直訳。）

□再见。Zàijiàn. ／再会。Zàihuì.　さようなら。

□明天见。Míngtiān jiàn.　明日また。

□拜拜。Bàibai.　バイバイ。

　伝説的な挨拶ことばに“吃饭了吗？ Chīfàn le ma?”があります。直訳すれば「ごはん食べました
たか」ですが、かつて食糧事情が悪かった中国では満足に三食食べられないことも多く、この質問
が挨拶がわりだったのです。今は経済状況が好転して、こんな挨拶も聞かれなくなりました。

LESSON 8 　我喝了两瓶啤酒。 Wǒ hēle liǎng píng píjiǔ.

【1】 時間量の言い方

　時間を表すことばには、時間量を示す語と、時点を示す語があります。「2時」は時点を表し、「2時間」は時間量を表しています。中国語における時点の表し方は第7課で学習したので、ここでは時間量の言い方を学びましょう。

日本語	一分間	四時間	三日間	五週間	八ヶ月	十年間
中国語	yì fēnzhōng 一分钟	sì ge xiǎoshí 四个小时	sān tiān 三天	wǔ ge xīngqī 五个星期	bā ge yuè 八个月	shí nián 十年

＊"钟 zhōng" は時間量を示す語。"分 fēn" について金額ではないことを表す。

✎ 練習1　　次の日本語を中国語に訳してみよう。

　　　　例：1時間は60分ある。　一个小时有六十分。　Yí ge xiǎoshí yǒu liùshí fēn.
　　　　① 1日は24時間ある。
　　　　② 1週間は7日ある。
　　　　③ 1年は何ヶ月ありますか。
　　　　④ 1ヶ月は30日くらいある。

左右 zuǒyòu ～くらい

【2】 "了 le" の用法

　主語＋動詞＋"了 le" の形は、完了、「～した、し終わった」を意味します。

　　春天来了。　Chūntiān lái le.　春が来た。
　　孩子们已经吃饭了。　Háizimen yǐjing chīfàn le.　子どもたちはもうご飯を食べ終えました。

　否定文は"不"ではなく"没（有）"を用います。その際、動詞についていた"了"は消えてしまいます。

　　许经理没（有）来。　Xǔ jīnglǐ méi (yǒu) lái.　許社長は来なかった。
　　孩子们还没（有）吃饭。　Háizimen hái méi (yǒu) chīfàn.

子どもたちはまだご飯を食べていません。

还 hái（副）まだ

"了" は文末につく場合もあります。状態が変化して、そういう状態になったということを表します。

脸红了。 Liǎn hóng le. 顔が赤くなった。

我的词典没有了。 Wǒ de cídiǎn méi yǒu le. 私の辞書がなくなった。

動詞に "了" がついて完了を表す形と、文末に "了" がついて状態の変化を表す形を比較してみましょう。

我喝了三瓶啤酒。 Wǒ hēle sān píng píjiǔ. 私はビールを3本飲んだ（飲み終わった）。

我喝三瓶啤酒了。 Wǒ hē sān píng píjiǔ le.
私はビール飲み、3本目を飲み終えた（まだ飲み続けている）。

✎ 練習2　次の中国語を読み、さらに日本語に訳してみよう。 58

① 我感冒了。要吃药。
② 你已经学了第三课吗？
③ 她来北京三年了。
④ 那件衣服，你买了没有？

吃药 chīyào 薬を飲む
件 jiàn 衣服を数える量詞

【3】介詞 "从 cóng, 离 lí" の用法

介詞 "从 cóng, 离 lí" の使い方を学びましょう。どちらも日本語に訳すと「〜から」となりますが、意味は少し違います。

💬 "从" 時間や場所の起点を表す。
"到 dào"「〜まで」と呼応することが多い。

我今天从六点到九点打工。 Wǒ jīntiān cóng liù diǎn dào jiǔ diǎn dǎgōng.
私は今日6時から9時までアルバイトをします。

从这儿坐车要半个小时。 Cóng zhèr zuò chē yào bàn ge xiǎoshí.
ここから車に乗って30分かかります。

💬 "离" 基準となる場所からの距離を表す。

我家离公司很近。 Wǒ jiā lí gōngsī hěn jìn. 私の家は会社から近いです。

苏州离上海远不远？ Sūzhōu lí Shànghǎi yuǎn bu yuǎn?
蘇州は上海から遠いですか。

① 从星期三到星期六我去北京出差。
② 你家离这儿远吗？
③ 从北门到南门有三公里。
④ 从这儿一直往东走。

出差 chūchāi（名・動）出張（する）
一直 yìzhí（副）まっすぐに
往 wǎng（介）～へ向かって
走 zǒu（動）歩く 行く

会話練習　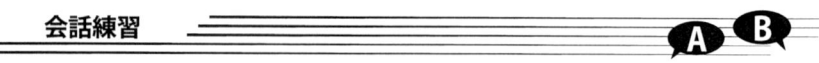 Ⓐ Ⓑ

····························· Scene 1 60 〕))

A：你 来 我们 公司 几 年 了？
　　Nǐ lái wǒmen gōngsī jǐ nián le?

B：两 年 七 个 月 了。
　　Liǎng nián qī ge yuè le.

A：你（的）老家 在 哪儿？
　　Nǐ (de) lǎojiā zài nǎr?

B：在 锦州。 离 大连 不 远。
　　Zài Jǐnzhōu. Lí Dàlián bù yuǎn.

A：从 大连 到 锦州 有 多少 公里？
　　Cóng Dàlián dào Jǐnzhōu yǒu duōshao gōnglǐ?

B：一百 多 公里。坐 火车 三 个 小时 就 到。
　　Yìbǎi duō gōnglǐ. Zuò huǒchē sān ge xiǎoshí jiù dào.

A：你 今天 开始 休假 回家 看 父母 吗？
　　Nǐ jīntiān kāishǐ xiūjià huíjiā kàn fùmǔ ma?

B：对，休息 四 天。下 星期一 回来。
　　Duì, xiūxi sì tiān. Xià xīngqīyī huílai.

A：没 问题，好好 休息 吧。
　　Méi wèntí, hǎohāo xiūxi ba.

A : 你　准备　好　了　吗？　　没　时间　了。
　　Nǐ　zhǔnbèi　hǎo　le　ma?　　Méi　shíjiān　le.

B : 礼物　还　没　买，怎么办？
　　Lǐwù　hái　méi　mǎi，zěnmebàn?

A :　路上　买。走　吧！
　　Lùshang　mǎi.　Zǒu　ba!

B : 我　饿　了。我　还　没　吃　早饭　呢。
　　Wǒ　è　le.　Wǒ　hái　méi　chī　zǎofàn　ne.

A :　到　　火车站　吃，走！
　　Dào　huǒchēzhàn　chī，zǒu!

B : 哟，钥匙　去　哪儿　了？　　没　有　了。
　　Yō，yàoshi　qù　nǎr　le?　　Méi　yǒu　le.

A : 没关系，　你　慢慢(儿)　找　吧，不要　着急。
　　Méiguānxi，　nǐ　mànmān(r)　zhǎo　ba，búyào　zháojí.

B : 你　怎么　了？
　　Nǐ　zěnme　le?

A : 都　十二　点　了。已经　来不及　了。
　　Dōu　shí'èr　diǎn　le.　Yǐjing　láibují　le.

老家 lǎojiā（名）実家 故郷　锦州 Jǐnzhōu（固）錦州　大连 Dàlián（固）大連　火车 huǒchē（名）汽車
一百多 yì bǎi duō 百余り　就 jiù（副）すなわち すぐ；強い接続を表す　回家 huíjiā 家へ帰る
回来 huílái 帰って来る　准备 zhǔnbèi（名）準備　礼物 lǐwù（名）お土産　饿 è（形）空腹である
怎么办 zěnmebàn どうしよう　路上 lùshang（名）路上 途中　站 zhàn（名）駅　哟 yō（感）あっ えっ
找 zhǎo（動）探す　着急 zháojí（動）急ぐ　都 dōu（副）もう すでに　怎么了 zěnme le どうしたのですか
来不及 láibují 間に合わない

日本語もそうですが、中国語もかなり複雑な量詞を持っています。すべてを記すことはできませんが、代表的なものだけでも紹介しましょう。

一个人 yí ge rén　　ひとりの人：家族を数える場合は"口 kǒu"を使う。"个"は使用範囲が広く、専用の量詞のない語のすべてと、時には専用の量詞を持つ語にも用いる。

两件衣服 liǎng jiàn yīfu　　2着の服：衣類、荷物、事柄等

三本书 sān běn shū　　3冊の本：雑誌等も。

四把雨伞 sì bǎ yǔsǎn　　4本の雨傘：取っ手のあるもの。"刀 dāo"（ナイフ）、"扇子 shànzi"（せんす）等。

五支圆珠笔 wǔ zhī yuánzhūbǐ　　5本のボールペン：細い棒状のもの。"铅笔 qiānbǐ"（えんぴつ）、"蜡烛 làzhú"（ろうそく）等。

六家餐厅 liù jiā cāntīng　　6軒のレストラン：家庭、店等。

七瓶啤酒 qī píng píjiǔ　　7本のビール：ビンに入ったもの

八张地图 bā zhāng dìtú　　8枚の地図：平べったいもの。"桌子 zhuōzi"（机）、"床 chuáng"（ベッド）、"票 piào"（切符）等。

九条领带 jiǔ tiáo lǐngdài　　9本のネクタイ：細長いもの。"河 hé"（川）、"裤子 kùzi"（ズボン）、"黄瓜 huángguā"（キュウリ）等。

十碗米饭 shí wǎn mǐfàn　　10杯のごはん：お碗に入れたもの。

十一杯咖啡 shíyī bēi kāfēi　　11杯のコーヒー：コップ、盃、等に入れたもの。

十二份早饭 shí'èr fèn zǎofàn　　12人前の朝食：食事の他に、新聞や書類にも用いる。"一份报纸 yí fèn bàozhǐ"（新聞一部）、

十三双袜子 shísān shuāng wàzi　　13足の靴下：二つでひとそろいのもの。"皮鞋 píxié"（革靴）、"筷子 kuàizi"（はし）等。

十四块香皂 shísì kuài xiāngzào　　14個のセッケン：かたまりになったもの。英語の peace 近い。"手表 shǒubiǎo"（うで時計）、"蛋糕 dàngāo"（ケーキ）等。

十五台电脑 shíwǔ tái diànnǎo　　15台のパソコン："电视机 diànshìjī"（テレビ）、"照相机 zhàoxiàngjī"（カメラ）等。

十六盒火柴 shíliù hé huǒchái　　16箱のマッチ："盒"は弁当箱程度までの小さな箱。大きなものは"箱 xiāng"を使う。

十七辆汽车 shíqī liàng qìchē　　17台の自動車："摩托车 mótuōchē"（オートバイ）、"拖拉机 tuōlājī"（トラクター）、"自行车 zìxíngchē"（自転車）等も。

十八只狗 shíbā zhī gǒu　　18匹の犬：鳥や昆虫にも用いる。動物の量詞は複雑で、大型の動物は"头 tóu"、魚類は"条"、犬や豚も食肉として見た場合は"条"を用いる。

つまり同じ"香烟 xiāngyān"（タバコ）でも
一条香烟　タバコ1カートン　　一盒香烟　タバコ1箱　　一支香烟　タバコ1本
と言い分けることになります。

LESSON 9 　我哥哥正在看电视呢。 Wǒ gēge zhèngzài kàn diànshì ne.

【1】進行形

　"正在〜呢" で、動作の進行を表します。"正，在，呢" のうち、一語があれば文が成立します。

我哥哥**正在**看电视**呢**。 　Wǒ gēge zhèngzài kàn diànshì ne.

　　　　　　　　　　　　　　　　　私の兄はちょうどテレビを見ている所です。

我哥哥**正**看电视**呢**。 　Wǒ gēge zhèng kàn diànshì ne.

我哥哥**在**看电视。 　Wǒ gēge zài kàn diànshì.

我哥哥看电视**呢**。 　Wǒ gēge kàn diànshì ne.

✎練習1　　次の中国語を読み、さらに日本語に訳してみよう。 62

① 我姐姐在吃晚饭呢。

② 爷爷正在打麻将。

③ 我妹妹跟朋友在聊天儿呢。

④ 我弟弟在图书馆写作业呢。

> 姐姐 jiějie（名）姉　爷爷 yéye（名）父方の祖父　（打）麻将 (dǎ) májiàng 麻雀を（する）
> 妹妹 mèimei（名）妹　聊天儿 liáotiānr 世間話をする　（写）作业 (xiě) zuòyè 宿題を（する）

　動詞＋"着" の形も進行を表すと言われていますが、実は "着" が表すのは、状態の継続です。

奶奶躺着看书。 　Nǎinai tǎngzhe kàn shū. 　祖母は寝そべって本を読んでいる。

外面下着雨。 　Wàimian xiàzhe yǔ. 　外は雨が降っている。

黑板上写着她的名字。 　Hēibǎn shang xiězhe tā de míngzi.

　　　　　　　　　　　　　　　　　黒板に彼女の名前が書いてある。

> 躺 tǎng（動）横になる　下雨 xiàyǔ 雨が降る　黑板 hēibǎn（名）黒板

【2】主述述語文

主述フレーズが大きな文の述語になった文を、主述述語文と呼びます。

我们学校外国留学生很多。　Wǒmen xuéxiào wàiguó liúxuéshēng hěn duō.

私たちの学校は外国の留学生が多い。

この文は"我们学校"が文全体の大きな主語、"外国留学生"が小さな主語、"很多"が小さな述語、そして"外国留学生很多"が、文全体の大きな述語になっています。

✎ 練習2　次の中国語を読み、さらに日本語に訳してみよう。 **63** 📶

① 白老师个子很高。

② 北京冬天很冷。

③ 年底工作忙吗？

④ 那家面馆味道不太好。

> 白 Bái〔固〕人名　个子 gèzi〔名〕背丈 体格
> 年底 niándǐ〔名〕年末　工作 gōngzuò〔名〕仕事
> 面馆 miànguǎn〔名〕麺屋　味道 wèidao〔名〕味
> 家 jiā〔量〕家庭、商店、企業等を数える量詞

【3】語気助詞 "啊 a，吧 ba，呢 ne"

語気助詞というのは、文末に添えて、特定の意味、語感を表すものです。

💬 啊　1）感嘆の意を表す。「～だなあ」

杉山老师的考试真难啊！　Shānshān lǎoshī de kǎoshì zhēn nán a!

杉山先生の試験は本当に難しいなあ。

好快啊！　Hǎo kuài a!　速いなあ。

2）注意、確認、念押しの意を表す。「～ですよね ～するぞ」

是啊，是啊，我知道。　Shì a, shì a, wǒ zhīdao.　そう、そう、私は知っている。

快走啊。　Kuài zǒu a.　早く行こうよ。

3）相手の注意を引きつける単語を示す。

你啊，真坏。　Nǐ a, zhēn huài.　あなたって、本当に悪いのね。

> 坏 huài〔形〕悪い

4）単語を列挙する。

烧卖啊，炒饭啊，饺子啊，妈妈做的都好吃。

Shāomài a, chǎofàn a, jiǎozi a, māma zuò de dōu hǎochī.

シュウマイ、チャーハン、ギョーザ、お母さんの作ったものはみんなおいしい。

＊ "啊"は音便が起きて、"呀 ya"と発音されることも多い。

○ 吧 1）相談、提案、軽い命令を表す。「〜しよう」

咱们吃午饭吧。　Zánmen chī wǔfàn ba.　私たちはお昼ご飯を食べましょう。

你快走吧。　Nǐ kuài zǒu ba.　君は早く行きなさい。

2）推量、意志を表す。「〜でしょう 〜するぞ」

他明天回来吧。　Tā míngtiān huílái ba.　彼は明日には帰って来るだろう。

我一个人去吧。　Wǒ yí ge rén qù ba.　私は一人で行くぞ。

3）同意、承知を表す。

好吧，我没问题。　Hǎo ba, wǒ méi wèntí.　よろしい、私は大丈夫だ。

○ 呢 1）疑問詞疑問文について回答を求める感じを表す。

你什么时候回来呢？　Nǐ shénme shíhou huílái ne?　君はいつ帰るのですか。

你想吃什么菜呢？　Nǐ xiǎng chī shénme cài ne?

あなたはどんな料理が食べたいですか。

2）前の文を受けて問い返す表現を表す。「〜は？」

我下班，你呢？　Wǒ xiàbān, nǐ ne?　私は退社するけど、君は？

菜都齐了，米饭呢？　Cài dōu qí le, mǐfàn ne?　料理はそろった、ご飯は？

齐 qí（形）揃っている

3）動作の進行を表す。「〜している」

爸爸在打电话呢。　Bàba zài dǎ diànhuà ne.　父は電話をしている。

✏ 練習3　次の中国語の文に適当な語気助詞を入れよう。

① 没有时间了，我们快走（　　　）。

② 你什么时候去美国（　　　）？

③ 他在听音乐（　　　）。

④ 西安（　　　），洛阳（　　　），成都（　　　），想去的地方很多。

⑤ 我（　　　），等了两个小时你才回来。

⑥ 他是美国人（　　　）？

⑦ 他不会中文，用英文说（　　　）。

音乐 yīnyuè（名）音楽　西安 Xī'ān（固）西安　洛阳 Luòyáng（固）洛陽
成都 Chéngdū（固）成都　等 děng（動）待つ
才 cái（副）〜でやっと ようやく　回来 huílái（動）帰って来る

A：马 小姐， 咱们 去 吃饭 吧。
Mǎ xiǎojiě, zánmen qù chīfàn ba.

B：我 在 工作。 你 一 个 人 去 吧。
Wǒ zài gōngzuò. Nǐ yí ge rén qù ba.

A：健康 第 一， 去 吃饭 吧。
Jiànkāng dì yī, qù chīfàn ba.

B：吃 什么 呢？ 我 想 吃 日本菜。
Chī shénme ne? Wǒ xiǎng chī Rìběncài.

A：河南路 的 "京都" 怎么样？ 那 家 店 气氛 很 好。
Hénánlù de "Jīngdū" zěnmeyàng? Nèi jiā diàn qìfēn hěn hǎo.

B："京都" 啊， 人 太 多 吧。 多 吵 啊。
"Jīngdū" a, rén tài duō ba. Duō chǎo a.

A：四川路 的 寿司 店 呢？ 又 好吃 又 便宜。
Sìchuānlù de shòusī diàn ne? Yòu hǎochī yòu piányi.

B：好 吧。 我 正在 写 单据。 请 等 五 分钟。
Hǎo ba. Wǒ zhèngzài xiě dānjù. Qǐng děng wǔ fēnzhōng.

A：好 啊。 上 一 次 我 吃了 四十 碟。
Hǎo a. Shàng yí cì wǒ chīle sìshí dié.

　　今天 我 吃 多少 呢？
　　Jīntiān wǒ chī duōshao ne?

B：哎呀， 算 了。 你 还是 一 个 人 去 吧。 我 不 想 去 了。
Āiya, suàn le. Nǐ háishì yí ge rén qù ba. Wǒ bù xiǎng qù le.

马 Mǎ（固）人名 マさん　　健康 jiànkāng（名）健康　　河南路 Hénánlù（固）河南通り　　气氛 qìfēn（名）雰囲気
京都 Jīngdū（固）ここでは店の名　　吵 chǎo（形）騒がしい うるさい　　四川路 Sìchuānlù（固）四川通り
寿司 shòusī（名）寿司　　又～又～ yòu~yòu~ ～であり同時に～でもある　　便宜 piányi（形）安い　　写 xiě（動）書く
单据 dānjù（名）伝票　　请 qǐng（動）頼む お願いする："请"＋動詞で～してください　　等 děng（動）待つ
碟 dié（名）小皿　　上一次 shàng yí cì（名）この前："下一次 xià yí cì" ならこの次
哎呀 āiya（感）まあ ああ 不満や驚きを表す　　算了 suàn le やめた

中国人は「五」という数字が好きで、そのもの全体を"五〜"で表すことが少なくありません。"五彩 wǔcǎi"と言えば基本となる五原色、"五香 wǔxiāng"は中華料理で使う五種類の香辛料、以下"五味 wǔwèi"、"五行 wǔxíng"等々。

"五金 wǔjīn"というのもあって、これは日常生活で使う五種類の金属を言います。"五金行 wǔjīnháng"は、日本で言う金物屋さんです。

具体的には，"金 jīn"，"銀 yín" "銅 tóng"，"鉄 tiě"，"錫 xī"の五つの金属を指す。最後の「錫」はスズです。確かに以前の生活では、身の回りにある金属原料はこれでだいたいすべてだったでしょう。今は錫よりも"铝 lǚ"＝アルミニウム製品が多いが、錫に代えてアルミを五金に入れようという話はまだ聞きません。

五金に加えて"塑料 sùliào"＝プラスチック、"橡胶 xiàngjiāo"＝ゴム、"陶瓷 táocí"＝セラミック、"玻璃 bōli"＝ガラス、"木料 mùliào"＝木材があれば、だいたい原料、材料の類は揃うでしょうか。

では、最後になぞなぞをひとつ。

金、银、铜、铁，打一个城市。　Jīn、yín、tóng、tiě, dǎ yí ge chéngshì.

金、銀、銅、鉄、どこの都市でしょう？

答えは"无锡 Wúxī"＝無錫（蘇州の北にある江蘇省の都市）。五金のうち四つがあって、錫だけが無いから。五金が何かを知っていれば、簡単です。

豆腐料理

豆腐と豆腐料理のバリエーションは日本より豊富。日本の豆腐より味が濃いような気がする。
ついでに北京の女の子に関する俗語をひとつ。"刀子嘴、豆腐心"…口は悪いが心は優しい、という意味だ。

家常豆腐
jiācháng dòufu

上：皮蛋豆腐　下：麻婆豆腐
pídàn dòufu　　mápó dòufu

LESSON 10

你去过北京吗？ Nǐ qùguo Běijīng ma ?

【1】経験

動詞＋"过 guo"の形は経験、つまり、「〜したことがある」という意味を表します。

我喝过中国酒。 Wǒ hēguo Zhōngguó jiǔ. 私は中国のお酒を飲んだことがあります。

他们都去过北京。 Tāmen dōu qùguo Běijīng. 彼らはみんな北京に行ったことがあります。

回数を言う場合は、目的語の前に置きます。

我喝过两次中国酒。 Wǒ hēguo liǎng cì Zhōngguó jiǔ.

私は中国のお酒を二回飲んだことがあります。

我看过好几次 " 三国演义 "。 Wǒ kànguo hǎojǐ cì "Sānguóyǎnyì".

私は何度も「三国志演義」を読んだことがある。

疑問文は文末に"吗"をつけるだけです。

你喝过中国酒吗？ Nǐ hēguo Zhōngguó jiǔ ma?

あなたは中国のお酒を飲んだことがありますか。

経験を表す文は、"不"ではなく"没（有）"で打ち消します。その際、動詞についている"过"は消えません。

我没有喝过中国酒。 Wǒ méiyǒu hēguo Zhōngguó de jiǔ.

私は中国のお酒を飲んだことがありません。

你没去过北京吗？ Nǐ méi qùguo Běijīng ma? あなたは北京に行ったことがないのですか。

✎練習1　次のピンインを中国語にし、さらに日本語に訳そう。

① Wǒ qùguo Rìběn.

② Nǐ qùguo Běijīng de Tiān'ānmén ma?

③ Wǒ méiyǒu chīguo Běijīng kǎoyā.

④ Wǒ jiànguo liǎng cì tā māma.

Tiān'ānmén ＝天安门（固）
Běijīng kǎoyā ＝北京烤鸭（固）北京ダック
jiàn ＝见（動）見る 会う

✎練習2　次の中国語を読み、さらに日本語に訳そう。 65

① 她不来。

② 她没有来。

③ 她不来了。

④ 她没有来过。

【2】動詞重ね型と "一下 yíxià"

動詞＋ "一" ＋動詞で、「ちょっと～する」という意味になります。間の "一" は省略することもできます。

我想一想。　Wǒ xiǎng yi xiǎng.　私はちょっと考えます。

你看看这本书。　Nǐ kànkan zhè běn shū.　ちょっとこの本をご覧なさい。

動詞を重ねる代わりに、動詞の後や文末に "一下 yíxià" をつけても同じです。

我想一下。　Wǒ xiǎng yíxià.　私はちょっと考えます。

你看一下这本书。　Nǐ kàn yíxià zhè běn shū.　ちょっとこの本をご覧なさい。

✎練習3　次の中国語を読み、さらに日本語に訳そう。 66 🔊

① 你想一想吧。

② 请等一下。

③ 这是中国的乌龙茶，请尝一尝。

④ 我们听听她的看法吧。

⑤ 我试试一个人去上海。

乌龙茶 wūlóngchá（名）ウーロン茶 "请 qǐng" ＋動詞で、～して下さい　尝 cháng（動）味わう 賞味する
听 tīng（動）聞く　看法 kànfǎ（名）見方 考え
试 shì（動）試す "试试～" で、～してみる

【3】"是…的" の文

"是…的" の構文は、特に "是" の後に置かれた内容を強調する働きがあります。この構文は過去のことにしか使えないというルールがあり、"是" を省略することもできます。

你是什么时候来北京的？　Nǐ shì shénme shíhou lái Běijīng de?
あなたいったいいつ北京へ来たのですか。

我是开车来公司的。　Wǒ shì kāichē lái gōngsī de.　私は車を運転して会社に来たのだ。

她是跟谁去旅游的？　Tā shì gēn shuí qù lǚyóu de? 彼女はいったい誰と旅行に行ったのか。

✎練習4　次の中国語を読み、さらに日本語に訳そう。 67 🔊

① 我是从日本来的。

② 你是昨天来北京的吗？

③ 你是不是跟小王一起看电影的？

④ 我一个人去的。

电影 diànyǐng（名）映画
小 xiǎo（頭）～さん ～ちゃん

A：刘　先生，　听说　你　去过　美国。
　　Liú xiānsheng, tīngshuō nǐ qùguo Měiguó.

　　我　可以　问问　关于　美国　的　事情　吗？
　　Wǒ kěyǐ wènwen guānyú Měiguó de shìqíng ma?

B：我　去过　一　次。你　呢？
　　Wǒ qùguo yí cì. Nǐ ne?

A：我　没　去过。你　什么　时候　去　的？
　　Wǒ méi qùguo. Nǐ shénme shíhou qù de?

B：两　年　前。
　　Liǎng nián qián.

A：你　是　一　个　人　去　的　吗？
　　Nǐ shì yí ge rén qù de ma?

B：是　一　个　人　去　的。你　看看，　这个　领带夹　在　纽约　买
　　Shì yí ge rén qù de. Nǐ kànkan, zhèige lǐngdàijiā zài Niǔyuē mǎi

　　的。怎么样？
　　de. Zěnmeyàng?

A：很　好看。
　　Hěn hǎokàn.

B：你　也　想　去　美国　吗？
　　Nǐ yě xiǎng qù Měiguó ma?

A：非常　想。但是　工作　很　忙，我　没　有　时间　呀。
　　Fēicháng xiǎng. Dànshì gōngzuò hěn máng, wǒ méi yǒu shíjiān ya.

B：你　慢慢儿　考虑　一　下。一定　有　办法。
　　Nǐ mànmānr kǎolǜ yíxià. Yídìng yǒu bànfǎ.

A：多谢。计划　一下　试试　看。
　　Duōxiè. Jìhuà yíxià shìshi kàn.

刘 Liú（固）人名 リュウさん　听说 tīngshuō 聞くところによれば　关于 guānyú（介）～に関して，～について
领带夹 lǐngdàijiā（名）ネクタイピン　纽约 Niǔyuē（固）ニューヨーク　好看 hǎokàn（形）(見た目が) きれい 美しい
非常 fēicháng（副）非常に とても　但是 dànshì（接）しかし けれども　慢慢儿 mànmānr（副）ゆっくりと
考虑 kǎolǜ（動）考える　办法 bànfǎ（名）方法　多谢 duōxiè ありがとう　计划 jìhuà（名）計画

　第10課のコラムで五金（"金 jīn，银 yín，铜 tóng，铁 tiě，锡 xī"）について述べました。このくらいの金属なら漢字も分かるし、ピンインも覚えられそうですが、その他の金属、特に日本語と違う漢字であったり、日本語がカタカナ表記になっているものは、なかなか難しそうです。もちろんすべての金属を紹介することはできませんが、馴染みのあるものだけでも、元素記号とともに見てみましょう。ついでに化学の勉強に出てくる元素にも触れます。

水素（H）	氢气 qīngqì	リチウム（Li）	锂 lǐ
ヘリウム（He）	氦气 hàiqì	ホウ素（B）	硼 péng
炭素（C）	碳 tàn	窒素（N）	氮 dàn
酸素（O）	氧气 yǎngqì	ネオン（Ne）	氖气 nǎiqì
ナトリウム（Na）	钠 nà	マグネシウム（Mg）	镁 měi
アルミニウム（Al）	铝 lǚ	燐（P）	磷 lín
硫黄（S）	硫 liú	塩素（Cl）	氯 lù
カリウム（K）	钾 jiǎ	カルシウム（Ca）	钙 gài
チタン（Ti）	钛 tài	クロム（Cr）	铬 gè
マンガン（Mn）	锰 měng	ニッケル（Ni）	镍 niè
亜鉛（Zn）	锌 xīn	ヒ素（As）	砷 shēn
モリブデン（Mo）	钼 mù	カドミウム（Cd）	镉 gé
バリウム（Ba）	钡 bèi	タングステン（W）	钨 wū
プラチナ（Pt）	铂 bó	水銀（Ag）	汞 gǒng
鉛（Pb）	铅 qiān	ウラン（U）	铀 yóu

　この漢字を見ていると頭痛がして絶望的な気持になりますが、良いこともあります。
　例えばトタン板は、中国語では"镀锌铁皮 dùxīn tiěpí"言いますが、"镀 dù"はメッキする、"锌 xīn"は亜鉛ですから、これは鉄板に亜鉛メッキをした物であることが分かります。またブリキは、"镀锡铁皮 dùxī tiěpí"ですから、錫メッキということになります。
　元素記号は万国共通ですし、アルファベットの発音も基本的には日本語と同じなので、発音が思いだせなくても、元素記号を言えば（あるいは書けば）意味が通じます。それは化学式でも同様です。
…………
　私が中国へ行ったばかりの頃、料理をするので塩を買いに行った時の話です。私の発音も悪かったのでしょうが、何度"盐 yán"と言っても分かってもらえず、挙げ句の果てにタバコ、つまり同音の"烟 yān"が出てきてしまいました（四声が違うのに！）。呆然と立ち尽くすしかない私に、一人の若い店員が"NaCl？"と聞いてくれて、ようやく食塩を買うことができました。勉強はしておくものです。

LESSON
11
她给了我一个巧克力。 Tā gěile wǒ yí ge qiǎokèlì.

【1】二重目的語

動詞の中には二つの目的語を取るものがあります。限られているので覚えてしまいましょう。

"教 jiāo" ＡＢ「ＡにＢを教える」

孔老师教我们汉语。 Kǒng lǎoshī jiāo wǒmen Hànyǔ.

孔先生は私たちに中国語を教えます。

"叫 jiào" ＡＢ「ＡをＢと呼ぶ」

我们叫她白雪公主。 Wǒmen jiào tā Báixuě gōngzhǔ.

私たちは彼女を白雪姫とよんでいる。

"告诉 gàosu" ＡＢ「ＡにＢと告げる」

爸爸告诉我 " 奶奶死了 "。 Bàba gàosu wǒ "Nǎinai sǐ le".

父は私に「おばあちゃんが死んだ」と言った。

"给 gěi" ＡＢ「ＡにＢを与える」

她给了我一个巧克力。 Tā gěile wǒ yí ge qiǎokèlì.

彼女は私にチョコレートをひとつくれた。

"问 wèn" ＡＢ「ＡにＢを尋ねる」

你问问你爸爸这个问题。 Nǐ wènwen nǐ bàba zhèige wèntí.

君はお父さんにこの問題を聞いて見なさい。

練習1 次の中国語を読み、さらに日本語に訳そう。 69

① 请告诉我你的电话号码。
② 我可以叫你小李吗？
③ 你能不能教我电脑？
④ 她问我 " 明天几点出发？"。
⑤ 给我一杯可乐。

号码 hàomǎ（名）番号 ナンバー
电脑 diànnǎo（名）パソコン
可乐 kělè（名）コーラ
出发 chūfā（動）出発する

"给 gěi" は介詞としての用法もあります。

　　请给我写信。　Qǐng gěi wǒ xiěxìn.　私に手紙を書いて下さい。
　　我今晚给你打电话。　Wǒ jīnwǎn gěi nǐ dǎ diànhuà.　私は今晩あなたに電話をします。

【2】同格文と比較文

比較を表すには、A＋"比" bǐ＋B＋形容詞「AはBより〜である」という形を取ります。

　　西瓜比苹果大。　Xīguā bǐ píngguǒ dà.　スイカはリンゴより大きい。
　　妈妈比爸爸高。　Māma bǐ bàba gāo.　母は父より背が高い。

否定文には "没有 méiyǒu" を用います。否定文にすると、介詞の "比 bǐ" が消えてしまうのですが、それでも意味が取れるのが不思議です。

　　苹果没有西瓜大。　Píngguǒ méiyǒu xīguā dà.　リンゴはスイカほど大きくない。
　　爸爸没有妈妈高。　Bàba méiyǒu māma gāo.　父は母ほど背が高くない。

比較した差を述べるのは形容詞の後です。

　　妈妈比爸爸高五公分。　Māma bǐ bàba gāo wǔ gōngfēn.　母は父より5センチ背が高い。
　　飞机比新干线快一点儿。　Fēijī bǐ xīngànxiàn kuài yìdiǎnr.

　　　　　　　　　　　　　　　　　　　　飛行機の方が新幹線より少し速い。

✎練習2　次の単語を組み合わせて、比較文を作ろう。
　　①英文　难　中文　比
　　②贵　日本汽车　中国汽车　比
　　③没有　热　今天　昨天
　　④五公斤　胖　我　她　比

> 汽车 qìchē（名）自動車
> 贵 guì（形）（値段が）たかい
> 公斤 gōngjīn（名）キログラム
> 胖 pàng（形）太っている

ついでに同格文「AはBと同じく〜だ」も見ておきましょう。同格文は、以下のような形を取ります。

　　A＋"跟 gēn（和 hé）"＋B＋"一样 yíyàng"＋形容詞

　　东京的人口跟北京一样多。　Dōngjīng de rénkǒu gēn Běijīng yíyàng duō.
　　　　　　　　　　　　　　東京の人口は北京と同じくらいの多さである。

她和你夫人一样漂亮。　Tā hé nǐ fūrén yíyàng piàoliang.

彼女は奥様と同じようにきれいです。

【3】使役文

使役文を作るには、助動詞 "让 ràng，叫 jiào" を使います。

主語A ＋ "让 ràng" ＋ 動作主B ＋ 述語動詞「AはBに～させる」

这个消息让我很难过了。　Zhège xiāoxi ràng wǒ hěn nánguò le.

この知らせは私を悲しませた。

女老板叫她休息三天。　Nǚlǎobǎn jiào tā xiūxi sān tiān.

女主人は彼女を三日間休ませる。

打ち消しには "不" を用います。"不" の位置は助動詞の直前です。

他们不让我走。　Tāmen bú ràng wǒ zǒu.　彼らは私を行かせない。

不让孩子们看这本书。　Bú ràng háizimen kàn zhè běn shū.

子供たちにこんな本を見せない。

✎練習3　次の日本語を中国語にしよう。

① ちょっと私に言わせて下さい。
② お母さんは妹にニンジンを食べさせます。
③ 先生は学生に宿題をさせた。
④ 彼は子供たちを座らせた。
⑤ 医者はお父さんにタバコを吸わせない。

> 言う 说 shuō　ニンジン 胡萝卜 húluóbo　宿題をする 写作业 xiě zuòyè
> 座る 坐下 zuòxià　医者 医生 yīshēng　タバコを吸う 抽烟 chōuyān

"使 shǐ，令 lìng" も使役文を作る働きがありますが、文語的で、"让 ràng，叫 jiào" より制約が多く、使い方が難しい面があります。

A：林　主任，　张　　小姐　在　不　在？
　　Lín zhǔrèn, Zhāng xiǎojiě zài bu zài?

　　你　让　她　来　我　办公室　　一　趟。
　　Nǐ ràng tā lái wǒ bàngōngshì yí tàng.

B：对不起，她　已经　下班　了。她　好像　　感冒　了。
　　Duìbuqǐ, tā yǐjīng xiàbān le. Tā hǎoxiàng gǎnmào le.

A：噢，　明白　了。你　告诉　她　不　舒服　的话，　明天　　可以　休息。
　　Òu, míngbai le. Nǐ gàosu tā bù shūfu dehuà, míngtiān kěyǐ xiūxi.

B：她　明天　　要　参加　会议，　能　休息　吗？
　　Tā míngtiān yào cānjiā huìyì, néng xiūxi ma?

A：让　别人　去　吧。你　说　谁　能　替　她　参加。
　　Ràng biérén qù ba. Nǐ shuō shéi néng tì tā cānjiā.

B：白　小姐　怎么样？　她　对　这次　会议　的　内容　比较　了解。
　　Bái xiǎojiě zěnmeyàng? Tā duì zhèicì huìyì de nèiróng bǐjiào liǎojiě.

A：我　同意　你　的　看法。
　　Wǒ tóngyì nǐ de kànfǎ.

　　那么，你　让　白　小姐　参加　会议，好　吗？
　　Nàme, nǐ ràng Bái xiǎojiě cānjiā huìyì, hǎo ma?

B：好　的。我　现在　　叫　她　去　你　的　办公室。
　　Hǎo de. Wǒ xiànzài jiào tā qù nǐ de bàngōngshì.

A：拜托　你　了，谢谢。
　　Bàituō nǐ le, xièxie.

林 Lín（固）人名 リンさん　　主任 zhǔrèn（名）主任　　办公室 bàngōngshì（名）事務室 オフィス
趟 tàng（量）動作の量詞　　下班 xiàbān（動）退社する ←→ 上班 shàngbān（動）出社する
好像 hǎoxiàng ～のようだ　　噢 òu（感）ああ、悟った感じ　　舒服 shūfu（動）気持ちがいい
～的话 dehuà もし～だったら　　会议 huìyì（名）会議　　别人 biérén（名）別の人
你说 あなたが言って下さい　　替 tì（動）～に代わる　　内容 nèiróng（名）内容
比较 bǐjiào（副）比較的 わりに　　了解 liǎojiě（動）理解する　　同意 tóngyì（動）同意する 賛成する
拜托 bàituō（動）お願いする："拜托你了" お願いします 丁寧な言い方

　挨拶ことばとまでは言えなくても、場面によって決まった言い方、すなわち決まり文句があるものです。決まり文句なのですから、余り深く考えず、丸暗記するのが良いのです。

□请问　Qǐngwèn.　お尋ねします。

□欢迎光临。Huānyíng guānglín.　いらっしゃいませ。

□稍等一下。Shāo děng yíxià.　しばらくお待ち下さい。

□让你久等了。Ràng nǐ jiǔ děng le.　お待たせいたしました。

□多少钱？Duōshao qián?　おいくらですか。

□见到你很高兴！Jiàndào nǐ hěn gāoxìng!　お目にかかれて嬉しいです。

□祝你一路顺风。Zhù nǐ yílù shùnfēng.　道中ご無事で。

□祝你生日快乐！Zhù nǐ shēngrì kuàilè!　お誕生日おめでとう。

□恭喜恭喜！Gōngxǐ gōngxǐ!　おめでとうございます。

□后会有期！Hòu huì yǒu qī!　またいつかお目にかかりましょう。

□请向大家问好。Qǐng xiàng dàjiā wènhǎo.　どうぞ皆様によろしくお伝え下さい。

□我来介绍一下。Wǒ lái jièshào yíxià.　ちょっと紹介いたします。

□加油！Jiāyóu!　がんばれ！

餃子

中国の国民食とも言うべき存在。日本風の焼き餃子よりも、水餃子、蒸し餃子が多い。かつては餃子が包めなければお嫁に行けなかったが、今はスーパーで冷凍を買ってくるのが普通。

饺子
jiǎozi

語彙索引
数字は初出の課（発は発音編）

粉色	fěnsè	ピンク色	4	回家	huíjiā	家へ帰る	6
份	fèn	人前（量詞）	8	回来	huílái	帰って来る	8
风	fēng	風	6	火柴	huǒchái	マッチ	8
				火车	huǒchē	汽車	8
				火锅	huǒguō	鍋料理	7

G

感冒	gǎnmào	かぜをひく	6
高	gāo	高い	11
告诉	gàosu	告げる	11
哥哥	gēge	兄	1
歌儿	gēr	歌	発3
个	ge	個	1
个子	gèzi	背丈 体格	9
给	gěi	与える	11
跟	gēn	～と	7
公尺	gōngchǐ	メートル	5
公分	gōngfēn	センチメートル	5
公斤	gōngjīn	キログラム	5
公司	gōngsī	会社	8
公里	gōnglǐ	キロメートル	5
公主	gōngzhǔ	お姫様	11
工学	gōngxué	工学	6
工作	gōngzuò	仕事	9
国家	guójiā	国	3
贵	guì	（値段が）たかい	11

J

鸡	jī	ニワトリ	発3
几	jǐ	いくつ	1
计划	jìhuà	計画	10
加	jiā	たす	5
家	jiā	軒（量詞）	8
减	jiǎn	ひく	5
件	jiàn	着（量詞）	8
见	jiàn	見る 会う	10
健康	jiànkāng	健康	9
教	jiāo	教える	11
饺子	jiǎozi	ギョーザ	発3
叫	jiào	～という名である	3
叫	jiào	～と呼ぶ	11
叫	jiào	～させる	11
姐姐	jiějie	姉	4
今天	jīntiān	今日	2
今晚	jīnwǎn	今晩	7
近	jìn	近い	8
经理	jīnglǐ	社長 経営者	8
就	jiù	すなわち すぐ	8
就是	jiùshì	すなわち	2

H

还	hái	まだ	6
孩子	háizi	子ども	8
汉语	Hànyǔ	中国語	7
毫米	háomǐ	ミリメートル	5
好	hǎo	よろしい よい	3
好吃	hǎochī	（食べて）おいしい	6
好喝	hǎohē	（飲んで）おいしい	6
好看	hǎokàn	（見た目が）きれい	10
好像	hǎoxiàng	～のようだ	11
号码	hàomǎ	番号 ナンバー	11
喝	hē	飲む	4
河	hé	川	8
河南路	Hénánlù	河南通り	9
和	hé	～と	11
盒	hé	箱（量詞）	8
黑色	hēisè	黒色	4
红	hóng	赤い	8
红色	hóngsè	赤色	4
后天	hòutiān	明後日	2
胡萝卜	húluóbo	ニンジン	11
花儿	huār	花	発3
滑雪	huáxuě	スキーをする	7
坏	huài	悪い	9
黄瓜	huángguā	キュウリ	8
黄色	huángsè	黄色	4
会	huì	できる	7
会议	huìyì	会議	11

K

咖啡	kāfēi	コーヒー	8
开车	kāichē	車を運転する	8
看	kàn	見る	9
看法	kànfǎ	見方 考え	10
考虑	kǎolǜ	考える	8
考试	kǎoshì	試験	6
科	kē	学科	5
可乐	kělè	コーラ	4
可以	kěyǐ	できる してよい	7
克	kè	グラム	5
课本	kèběn	テキスト	5
空	kòng	ひま 空き時間	7
裤子	kùzi	ズボン	8
块	kuài	元（貨幣単位）	4
块	kuài	個（量詞）	8
快	kuài	速い	9
快乐	kuàilè	楽しい 愉快だ	2
筷子	kuàizi	はし	8

L

蜡烛	làzhú	ろうそく	8
来不及	láibují	間に合わない	8

蓝色	lánsè	青色	4
老家	lǎojiā	実家 故郷	8
老师	lǎoshī	先生	5
老爷	lǎoye	父方の祖父	9
冷	lěng	寒い 冷たい	6
离	lí	～から	8
厘米	límǐ	センチメートル	5
礼物	lǐwù	お土産	8
理想	lǐxiǎng	理想	発3
栗子	lìzi	くり	5
脸	liǎn	顔	8
凉快	liángkuai	涼しい	6
辆	liàng	台（量詞）	8
聊天儿	liáotiānr	おしゃべりをする	発3
了解	liǎojiě	理解する	11
领带	lǐngdài	ネクタイ	8
领带夹	lǐngdàijiā	ネクタイピン	10
留学生	liúxuéshēng	留学生	5
路上	lùshang	路上 途中	8
旅游	lǚyóu	旅行	10
绿色	lǜsè	緑色	4
洛阳	Luòyáng	洛陽（都市名）	9

M

妈妈	māma	お母さん	4
麻将	májiàng	麻雀	9
马上	mǎshàng	すぐに まもなく	6
买	mǎi	買う	4
慢慢(儿)	mànmān(r)	ゆっくりと	8
忙	máng	忙しい	6
毛	máo	角（貨幣単位）	4
没问题	méi wèntí	問題ない 大丈夫	3
每天	měitiān	毎日	3
妹妹	mèimei	妹	8
门口	ménkǒu	入口	7
米	mǐ	メートル	5
米饭	mǐfàn	ごはん	8
米粥	mǐzhōu	粥	発3
面馆	miànguǎn	麺屋	9
面条	miàntiáo	麺	発3
明天	míngtiān	明日	2
名字	míngzi	名前	3
摩托车	mótuōchē	オートバイ	8

N

哪里	nǎli	どこ	4
哪儿	nǎr	どこ	4
那	nà	それ それでは	3
那里	nàli	そこ	4
那儿	nàr	そこ	4
那么	nàme	そんなに なんと	3
南	nán	南	8
难过	nánguò	悲しい	11

男朋友	nánpéngyou	ボーイフレンド	7
内容	nèiróng	内容	11
能	néng	できる	7
嗯	ng	うん…	4
你	nǐ	あなた	1
你好	nǐ hǎo	こんにちは	発1
你们	nǐmen	あなたたち	1
年底	niándǐ	年末	9
您	nín	あなた（敬語）	3
纽约	Niǔyuē	ニューヨーク	10
女老板	nǚlǎobǎn	女主人	11
努力	nǔlì	努力する	6
暖和	nuǎnhuo	暖かい	6

O

| 噢 | òu | ああ、悟った感じ | 11 |

P

胖	pàng	太っている	11
啤酒	píjiǔ	ビール	4
皮鞋	píxié	革靴	8
便宜	piányi	安い	4
票	piào	切符	8
漂亮	piàoliang	美しい	6
瓶	píng	本（量詞）	8

Q

齐	qí	そろう	9
汽车	qìchē	自動車	8
气氛	qìfēn	雰囲気	9
千	qiān	千	1
铅笔	qiānbǐ	えんぴつ	8
前天	qiántiān	一昨日	2
巧克力	qiǎokèlì	チョコレート	11
请	qǐng	頼む お願いする	9
秋天	qiūtiān	秋	6
去	qù	行く	4

R

让	ràng	～させる	11
热	rè	暑い 熱い	6
人口	rénkǒu	人口	6

S

扇子	shànzi	扇子	8
上班	shàngbān	出社する	6
上海	Shànghǎi	上海	発3
上午	shàngwǔ	午前	4
上星期	shàngxīngqī	先週	3
上一次	shàngyícì	この前	9

中国語	ピンイン	日本語	課
烧卖	shāomài	シュウマイ	4
生日	shēngrì	誕生日	2
什么	shénme	なに	3
什么地方	shénmedìfāng	どこ	4
什么时候	shénmeshíhou	いつ	4
食堂	shítáng	食堂	1
试	shì	試す	10
手表	shǒubiǎo	うで時計	発3
寿司	shòusī	寿司	9
书	shū	本	5
蔬菜	shūcài	野菜	6
舒服	shūfu	気持ちがいい	11
叔叔	shūshu	父親の弟 おじさん	6
涮羊肉	shuàn yángròu	羊のしゃぶしゃぶ	7
双	shuāng	量詞 二つでひと揃いの物	8
谁	shuí (shéi)	だれ	4
水	shuǐ	水	発3
水果	shuǐguǒ	果物	7
四川路	Sìchuānlù	四川通り	9
苏州	Sūzhōu	蘇州	8
速度	sùdù	速度	発3
算了	suànle	やめる	発3

T

中国語	ピンイン	日本語	課
T恤	T xù	Tシャツ	4
他・她	tā	彼・彼女	1
台	tái	台（量詞）	8
躺	tǎng	横になる	9
趟	tàng	動作の量詞	11
天	tiān	空	6
天安门	Tiān'ānmén	天安門	10
天气	tiānqì	天気	6
条	tiáo	本（量詞） 匹（量詞）	8
听	tīng	聞く	10
听说	tīngshuō	聞くところによれば	10
同意	tóngyì	同意する 賛成する	11
头	tóu	匹 頭（量詞）	8
图书馆	túshūguǎn	図書館	4
拖拉机	tuōlājī	トラクター	8

W

中国語	ピンイン	日本語	課
袜子	wàzi	靴下	8
外边儿	wàibiānr	外	6
外国	wàiguó	外国	9
外面	wàimian	外	9
玩儿	wánr	遊ぶ	発3
晚	wǎn	（時間的に）おそい	6
晚饭	wǎnfàn	晩ごはん	7
晚上	wǎnshang	夕方 夜	3
碗	wǎn	杯（量詞）	8
万	wàn	万	1
往	wǎng	～へ向かって	8

中国語	ピンイン	日本語	課
网球	wǎngqiú	テニス	7
味道	wèidao	味	9
为什么	wèishénme	なぜ	4
我	wǒ	私 一人称	1
我们	wǒmen	我々	1
乌龙茶	wūlóngchá	ウーロン茶	10
午饭	wǔfàn	昼食	7

X

中国語	ピンイン	日本語	課
西安	Xī'ān	西安（都市名）	9
喜欢	xǐhuan	～を好む	4
洗脸	xǐliǎn	顔を洗う	発3
洗手	xǐshǒu	手を洗う	6
下班	xiàbān	退社する	7
下午	xiàwǔ	午後	7
下星期	xiàxīngqī	来週	3
下一次	xiàyícì	この次	9
下雨	xiàyǔ	雨が降る	6
夏天	xiàtiān	夏	6
先	xiān	先に	6
先生	xiānsheng	～さん 男性の敬称	3
箱	xiāng	箱	8
香烟	xiāngyān	タバコ	8
香皂	xiāngzào	セッケン	8
消息	xiāoxi	知らせ	11
想	xiǎng	～したい	6
小	xiǎo	～さん	7
小孩儿	xiǎoháir	子ども	発3
小孩子	xiǎoháizi	子ども	7
小姐	xiǎojie	お嬢さん miss	7
写	xiě	書く	9
谢谢	xièxie	ありがとう	2
新干线	xīngànxiàn	新幹線	11
星期	xīngqī	週	3
姓	xìng	～という姓である	3
休息	xiūxi	休息する	7
学生	xuésheng	学生	1
学习	xuéxí	学習する	4
学校	xuéxiào	学校	1

Y

中国語	ピンイン	日本語	課
颜色	yánsè	色	4
药	yào	薬	8
要	yào	～したい ～しなければならない	6
爷爷	yéye	父方の祖父	9
也	yě	～も	2
液体	yètǐ	液体	発3
一点儿	yìdiǎnr	ちょっと	発3
一定	yídìng	きっと 必ず	6
一共	yígòng	全部で	1
一会儿	yíhuìr	しばらくの間	7
一起	yìqǐ	一緒に	5

一下	yíxià	ちょっと〜〜する	10	早上	zǎoshang	朝	7
一样	yíyàng	同じである	発3	咱们	zánmen	私たち	5
一直	yìzhí	まっすぐに	8	怎么	zěnme	どのように なぜ	4
衣服	yīfu	衣服	8	怎么办	zěnmebàn	どうしよう	6
医生	yīshēng	医者	11	怎么了	zěnmele	どうしたのですか	8
已经	yǐjing	すでに	8	怎么样	zěnmeyàng	いかがですか	4
亿	yì	億	1	站	zhàn	駅	8
音乐	yīnyuè	音楽	9	着急	zháojí	急ぐ	6
银行	yínháng	銀行	5	找	zhǎo	探す	8
应该	yīnggāi	〜しなければならない	6	张	zhāng	枚（量詞）	8
英文	yīngwén	英語	4	照相机	zhàoxiàngjī	カメラ	8
哟	yō	あっ えっ	4	这里	zhèli	ここ	4
又〜又〜	yòu~yòu~	〜であり同時に		这儿	zhèr	ここ	4
		〜でもある	9	正午	zhèngwǔ	正午 真昼	7
鱼	yú	魚	発1	支	zhī	本（量詞）	8
羽绒衣	yǔróngyī	ダウンジャケット	6	只	zhī	匹（量詞）	8
雨伞	yǔsǎn	雨傘	8	主任	zhǔrèn	主任	11
圆珠笔	yuánzhūbǐ	ボールペン	8	桌子	zhuōzi	机	5
远	yuǎn	遠い	8	准备	zhǔnbèi	準備	8
越〜越	yuè~yuè	〜であればあるほど		紫色	zǐsè	紫色	発3
		ますます〜である	7	自行车	zìxíngchē	自転車	8
云	yún	雲	発3	总是	zǒngshì	いつも	7
				走	zǒu	行く 歩く	8
		Z		最近	zuìjìn	最近	6
				昨天	zuótiān	昨日	2
在	zài	ある いる	5	左右	zuǒyòu	〜くらい	8
		〜で	7	坐车	zuòchē	車に乗る	8
再见	zàijiàn	さようなら	3	坐下	zuòxià	座る	11
早晨	zǎochén	早朝	7	作业	zuòyè	宿題を	9
早饭	zǎofàn	朝食	8				

中国語基本音節表

声母＼韵母		a	o	e	er	ai	ei	ao	ou	an	en	ang	eng	-ong	-i [ʅ]	-i [ʅ]	i [i]	ia	ie
	ゼロ	a	o	e	er	ai	ei	ao	ou	an	en	ang	eng				yi	ya	ye
唇音	b	ba	bo			bai	bei	bao		ban	ben	bang	beng				bi		bie
	p	pa	po			pai	pei	pao	pou	pan	pen	pang	peng				pi		pie
	m	ma	mo	me		mai	mei	mao	mou	man	men	mang	meng				mi		mie
	f	fa	fo				fei		fou	fan	fen	fang	feng						
舌尖音	d	da		de		dai	dei	dao	dou	dan	den	dang	deng	dong			di	dia	die
	t	ta		te		tai		tao	tou	tan		tang	teng	tong			ti		tie
	n	na		ne		nai	nei	nao	nou	nan	nen	nang	neng	nong			ni		nie
	l	la	lo	le		lai	lei	lao	lou	lan		lang	leng	long			li	lia	lie
舌根音	g	ga		ge		gai	gei	gao	gou	gan	gen	gang	geng	gong					
	k	ka		ke		kai	kei	kao	kou	kan	ken	kang	keng	kong					
	h	ha		he		hai	hei	hao	hou	han	hen	hang	heng	hong					
舌面音	j																ji	jia	jie
	q																qi	qia	qie
	x																xi	xia	xie
そり舌音	zh	zha		zhe		zhai	zhei	zhao	zhou	zhan	zhen	zhang	zheng	zhong	zhi				
	ch	cha		che		chai		chao	chou	chan	chen	chang	cheng	chong	chi				
	sh	sha		she		shai	shei	shao	shou	shan	shen	shang	sheng		shi				
	r			re				rao	rou	ran	ren	rang	reng	rong	ri				
舌歯音	z	za		ze		zai	zei	zao	zou	zan	zen	zang	zeng	zong		zi			
	c	ca		ce		cai		cao	cou	can	cen	cang	ceng	cong		ci			
	s	sa		se		sai		sao	sou	san	sen	sang	seng	song		si			

"o

☆ "ê" "hng" "ng" "hm" "m" "fiao" "nun" 等は載せていません。

"en" と "eng" の発音の違いに注意。

3つの "i" に注意。

66

iao	iou -iu	ian	in	iang	ing	iong	u	ua	uo	uai	uei -ui	uan	uen -un	uang	ueng	ü	üe	üan	ün
yao	you	yan	yin	yang	ying	yong	wu	wa	wo	wai	wei	wan	wen	wang	weng	yu	yue	yuan	yun
biao		bian	bin		bing		bu												
piao		pian	pin		ping		pu												
miao	miu	mian	min		ming		mu												
							fu												
diao	diu	dian			ding		du		duo		dui	duan	dun						
tiao		tian			ting		tu		tuo		tui	tuan	tun						
niao	niu	nian	nin	niang	ning		nu		nuo			nuan				nü	nüe		
liao	liu	lian	lin	liang	ling		lu		luo			luan	lun			lü	lüe		
							gu	gua	guo	guai	gui	guan	gun	guang					
							ku	kua	kuo	kuai	kui	kuan	kun	kuang					
							hu	hua	huo	huai	hui	huan	hun	huang					
jiao	jiu	jian	jin	jiang	jing	jiong										ju	jue	juan	jun
qiao	qiu	qian	qin	qiang	qing	qiong										qu	que	quan	qun
xiao	xiu	xian	xin	xiang	xing	xiong										xu	xue	xuan	xun
							zhu	zhua	zhuo	zhuai	zhui	zhuan	zhun	zhuang					
							chu	chua	chuo	chuai	chui	chuan	chun	chuang					
							shu	shua	shuo	shuai	shui	shuan	shun	shuang					
							ru	rua	ruo		rui	ruan	run						
							zu		zuo		zui	zuan	zun						
							cu		cuo		cui	cuan	cun						
							su		suo		sui	suan	sun						

"ü"の"‥"は付けない。

は書かない。　"ian"の"a"の発音に注意。〔ε〕になる。

"ü"の"‥"は付けない。

"e"は書かない。　　"e"は書かない。

中国全图

蒙

乌鲁木齐 ◎
吐鲁番 ○

新疆维吾尔自治区

楼兰 ○   敦煌 ○
甘肃省

青海省   西宁 ◎

西藏自治区

尼泊尔

不丹   四川省

印度   拉萨 ◎

孟加拉国   昆明 ◎
云南省

缅甸

老挝

泰国

0   500km

俄 罗 斯

古

黑龙江省

○哈尔滨

内蒙古自治区

长春 ○吉林

吉林省

沈阳 抚顺

辽宁省 朝

呼和浩特◎

北京市 ★

大连 鲜

宁夏回族自治区

天津市 黄河

韩

日 本

银川◎

河北省

太原◎ 石家庄◎

国

陕

延安

山西省

济南◎

兰州◎

西

青岛

省

西安

郑州◎

山东省

洛阳

江苏省

河南省 安徽省

成都

湖北省

南京

长江

重庆市

合肥◎

无锡

上海市

贵州省

武汉

杭州◎

苏州

湖南省

长沙◎

南昌◎

浙江省

贵阳◎

江西省

福州◎

台北

桂林○

福建省

台

厦门

广西壮族自治区

广东省

湾

南宁◎

广州◎

香港

越 南

澳门

菲律宾

○海口

海南省

- - - 国境线
...... 省·自治区
★ 首都
☆ 直辖市
◎ 省会
○ 著名城市

理系のための中国語入門

2017 年　4 月　1 日　　初版発行
2021 年　4 月　1 日　　3 刷発行

■編　　　　　　中国地区高専中国語中国教育研究会

　　　　　　　　津山工業高等専門学校・教授　杉山明（代表）

　　　　　　　　宇部工業高等専門学校・教授　畑村学

　　　　　　　　新居浜工業高等専門学校・教授　野田善弘

　　　　　　　　函館工業高等専門学校・教授　泊功

　　　　　　　　松江工業高等専門学校・教授　橋本剛

　　　　　　　　大連東軟信息学院　張婷婷

　　　　　　　　大連東軟信息学院　張潔

■発行者　　　　尾方敏裕

■発行所　　　　株式会社好文出版

　　　　　　　　〒162-0041　東京都新宿区早稲田鶴巻町 540　林ビル 3F

　　　　　　　　Tel.03-5273-2739　Fax.03-5273-2740

　　　　　　　　http://www.kohbun.co.jp

理系のための中国語入門
音声 QR コード

好文出版

🎧36

🎧37

🎧38

🎧39

🎧40

🎧41

🎧42

🎧43

🎧44

🎧45

🎧46

🎧47

🎧48

🎧49

🎧50

🎧51

🎧52

🎧53

🎧54

🎧55

🎧56

🎧57

🎧58

🎧59

🎧60

🎧61

🎧62

🎧63

🎧64

🎧65

🎧66

🎧67

🎧68

🎧69

🎧70